1日10分の発音練習

著者　河野　俊之　　串田真知子
　　　築地　伸美　　松崎　寛

本書の使い方

第0課

発音できるようになるには、それを聞き取る能力が必要です。第0課では、聞く練習だけをします。基本的に発音はせず、CDの聞き取りのみに集中してください。

第1課〜第7課

第1課〜第7課は、以下のような構成になっています。

・メイン会話

それぞれの課で何を主に学習するのかがメイン会話でわかるようになっています。「ここに注意！」に書いてあることに特に注意して聞いてください。また、各課のパートを勉強した後、またメイン会話に戻って練習することもできます。その際、イラストだけを見ながら言う練習もしてみてください。

・練習0

まず、聞く練習をします。CDの聞き取りのみに集中してください。

・練習1

基本的な文、単語を発音する練習です。プロソディーグラフを指でなぞりながら聞いたり読んだりしてください。また、このテキストに載っている文、単語だけでなく、みなさんがお使いの教科書にある文、単語などでも練習してみてください。特に、形容詞や動詞のアクセントなどは、文字カード等を活用してさまざまな語で練習すると良いでしょう。

・練習2

より発展した文、単語を発音する練習です。練習1と同じように、みなさんがお使いの教科書にある文、単語などでも練習してみてください。

・右のページ

各パートの右のページは左のページと同じ内容ですが、プロソディーグラフがありません。どんなアクセントになるか推測しながら勉強したいときや、プロソディーグラフを見ずに練習したいときに使ってください。上半分は漢字仮名交じり文、下半分は仮名にアクセントだけを記したものです。

1日目は左のページで練習、2日目は右の文字だけのページで確認、という具合に進んでも良いでしょう。

なお、第0課の問題と練習0の問題のCDの間隔は2秒程度に、練習1・2は1秒程度に統一してあります。一時停止を入れながら聞いてください。

もくじ

0 ソース？ しょうゆ？ ……………………………………………………… 1
- 0-1 ヤマを聞きましょう … 2
- 0-2 イントネーションを聞きましょう … 3
- 0-3 長い音と短い音を聞きましょう … 4
- 0-4 アクセントを聞きましょう(1) … 5
- 0-5 アクセントを聞きましょう(2) … 6

1 どうぞよろしく。 ……………………………………………………… 8
- 1-1 あいさつ 「おはようございます。」 10
- 1-2 外国人の名前(1) 「郭さんです。」 12
- 1-3 外国人の名前(2) 「郭明遠です。」 14
- 1-4 外国人の名前(3) 「中国の郭さんです。」 16
- 1-5 日本人の名前(1) 「高橋さん」「佐藤さん」 18
- 1-6 日本人の名前(2) 「山田一夫です。」 20
- 1-7 長い音と短い音(1) 「菅野健太さんです」 22

2 カナダのどこですか。 ……………………………………………………… 24
- 2-1 質問文(1) 「どこへ行きますか。」 26
- 2-2 質問文(2) 「カナダのどこですか。」 28
- 2-3 数字 「1週間」 30
- 2-4 月日 「5月1日」 32
- 2-5 値段(1) 「5万円」 34
- 2-6 値段(2) 「6万8千円」 36
- 2-7 長い音と短い音(2) 「バンクーバーです」 38

3 友達に会いますから。 ……………………………………………………… 40
- 3-1 質問文(3) 「そうですか。」 42
- 3-2 ます形 「見ますか。」 44
- 3-3 長い文(1) 「土曜日は友達に会います。」 46
- 3-4 質問文(4) 「パンフレット、見ますか。」 48
- 3-5 誘いの文 「いっしょにテニスをしませんか。」 50
- 3-6 時間(1) 「2時半」 52
- 3-7 ン(1) 「しませんか」 54

4 恋人じゃありません。 ……………………………………………………… 56
- 4-1 長い文(2) 「郭さんのネクタイ」 58
- 4-2 否定文 「恋人じゃありません。」 60
- 4-3 アクセント(1) 「甘い」「辛い」 62

4-4	質問文(5)	「飲みます？」	64
4-5	助数詞	「1杯」	66
4-6	アクセント(2)	「もういっぱい」	68
4-7	ン(2)	「ありませんよ」	70

5 たこやき？ 72

5-1	長い文(3)	「あそこに高橋さんがいます。」	74
5-2	長い文(4)	「郭さんと佐藤さん」	76
5-3	質問文(6)	「だれかいますか。」	78
5-4	アクセント(3)	「たこやき」	80
5-5	質問文(7)	「たこやき？」	82
5-6	アクセント(4)	「フランス料理」	84
5-7	－	「どうですか」	86

6 ああ、10日…。 88

6-1	て形	「教えてください。」	90
6-2	ない形	「たばこを吸わないでください。」	92
6-3	辞書形	「チケットがあるんだけど。」	94
6-4	質問文(8)	「行く？」	96
6-5	質問文(9)	「金曜？」	98
6-6	質問以外のイントネーション	「そうですか…。」	100
6-7	ッ(1)	「いっしょに」	102

7 いえ、5時45分です。 104

7-1	時間(2)	「5時45分」	106
7-2	番号	「226-8497」	108
7-3	強調	「5時35分です。あ、いや、5時45分です。」	110
7-4	質問文(10)	「何分？」	112
7-5	言いさし	「ENKの電話番号は…。」	114
7-6	アクセント(5)	「フランス人」	116
7-7	ッ(2)	「40分です」	118

8 いっしょに行きません？ 120

8-1	聞こえない母音	「近い？」	122
8-2	ヤマのまとめ(1)	基本	123
8-3	ヤマのまとめ(2)	強調	124
8-4	イントネーションのまとめ	「か」「ね」「よ」	125
8-5	アクセントのまとめ(1)	動詞	126
8-6	アクセントのまとめ(2)	形容詞	127
8-7	アクセントのまとめ(3)	名詞	128

プロソディーグラフ

プロソディーグラフ

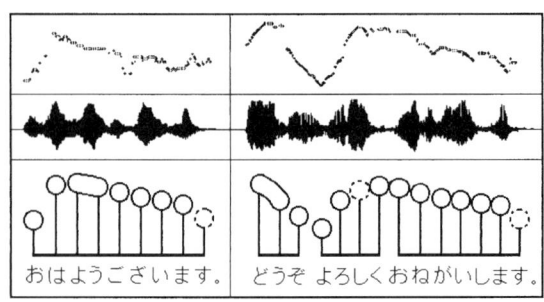

図1

「日本語らしい自然な発音」のためには、韻律、特に、高さや長さが大切です。しかし、ふつう、日本語の文字には高さが表されません。そこで、この教科書では、フランス語の教材などを参考にして、高さを表すピッチ曲線を音節ごとに区切り、わかりやすく示した「プロソディーグラフ」を使って、高さを表しています。

長い音、短い音 (0-3、1-7、8-1)

長い円（⬯）は長い音、つまり、「●ン」「●ッ」「●ー」を、短い円（○）は短い音を表します。○の下の棒線は拍数です。

破線の円（◌）は、母音が無声化した拍を表します。図1では、文末の「す」や「よろしく」の「し」の母音が無声化しています。

アクセント (0-4、0-5、1-2)

○の高さによって、アクセントの高さの変化を表します。図1の「おはようございま￢す」や「おねがいしま￢す」は「『ま』で下がる」、「ど￢うぞ」は「『どう』で下がる」、「よろしく」は「下がらない」「平らだ」となります。

イントネーション (0-2、3-1)

文の最後の長い音⬯、短い音○の角度や長さによって、イントネーションの微妙な変化を表します。図2、図3、図4は全て「しょうゆ」ですが、図3は文の最後が上がるイントネーション、図4は文の最後が下がるイントネーションです。

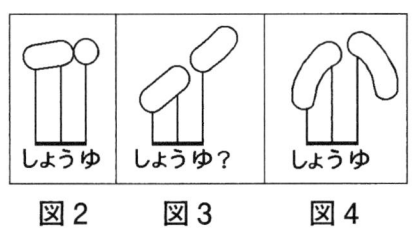

図2　図3　図4

ヤマ (0-1、1-1)

ヤマは、アクセントより大きな「音調のひとかたまり」で、詳しく言うと「句頭のピッチ上昇から次の立て直しに至るまで」のことです。図1の「おはようございます」はヤマ1つです。「どうぞ‖よろしくおねがいします」はヤマ2つです。ヤマの形はアクセントによって変わることがありますが、ヤマの形が変わっても、同じくヤマ1つです。

0 ソース？ しょうゆ？

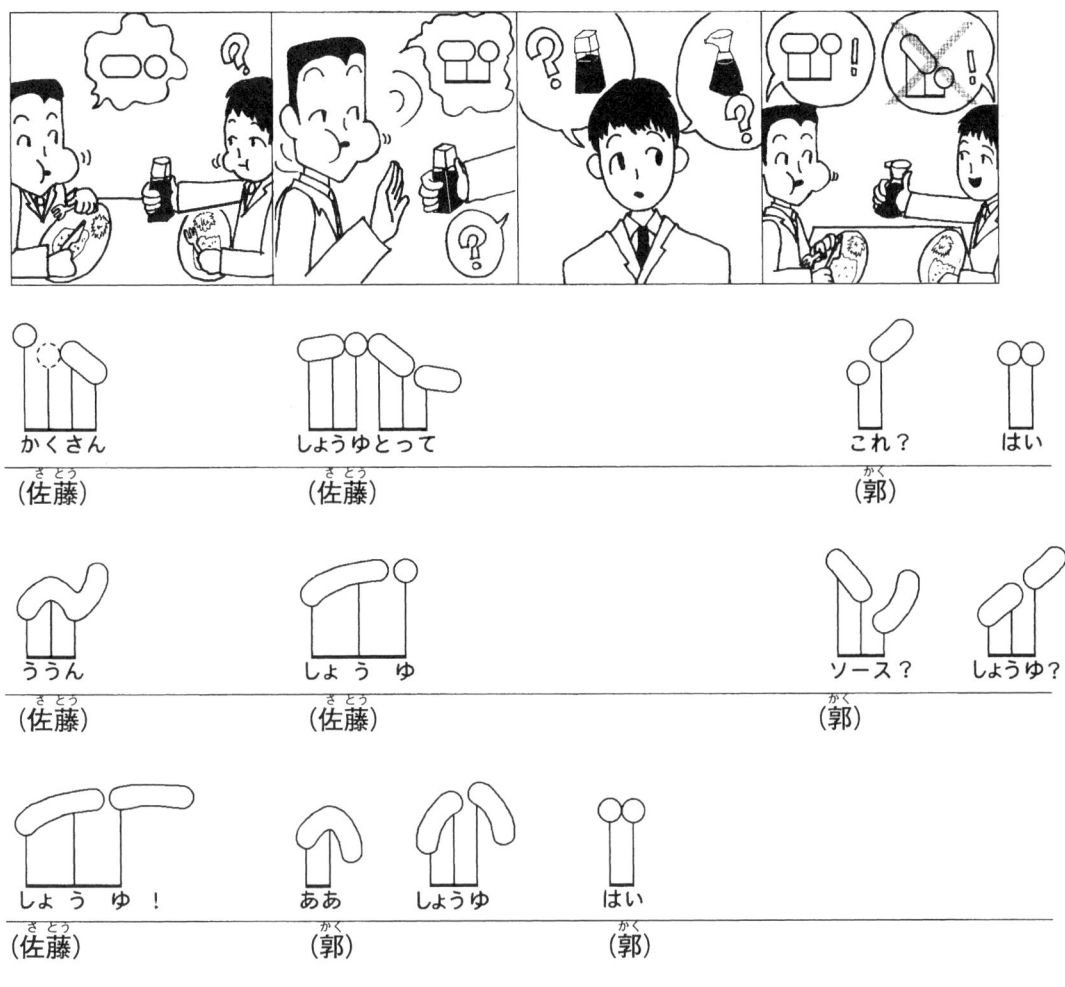

佐藤さんと郭さんが食事をしています。

ここに注意！

・「ソース」「しょうゆ」のアクセント
・「ソース？」「しょうゆ？」「ああ、しょうゆ。」のイントネーション

A-2

佐藤：郭さん。しょうゆ取って。
佐藤：ううん。しょうゆ。
佐藤：しょうゆ！

郭：これ？ はい。
郭：ソース？ しょうゆ？
郭：ああ、しょうゆ。はい。

0-1 ヤマを聞（き）きましょう

練習1 聞（き）きましょう。
A-3

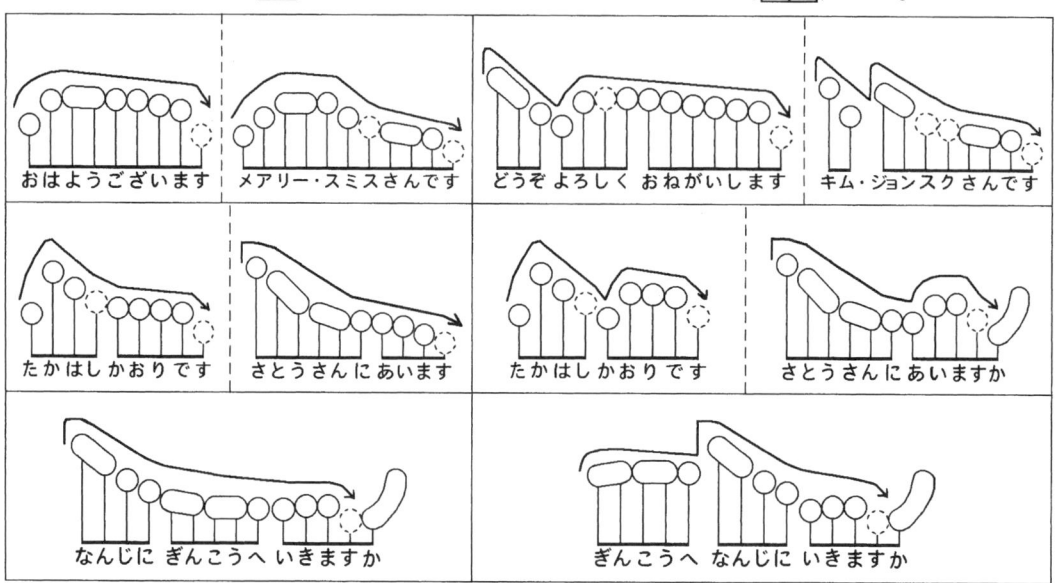

A　ヤマ1つ（🐧）です。　　　B　ヤマ2つ（🐧🐧）です。

練習2 ヤマ1つです(1)か、
A-4　　ヤマ2つです(2)か。

① (　　)　② (　　)　③ (　　)
④ (　　)　⑤ (　　)　⑥ (　　)
⑦ (　　)　⑧ (　　)　⑨ (　　)
⑩ (　　)　⑪ (　　)　⑫ (　　)
⑬ (　　)　⑭ (　　)　⑮ (　　)
⑯ (　　)　⑰ (　　)　⑱ (　　)　⑲ (　　)　⑳ (　　)
㉑ (　　)　㉒ (　　)　㉓ (　　)　㉔ (　　)　㉕ (　　)
㉖ (　　)　㉗ (　　)　㉘ (　　)　㉙ (　　)　㉚ (　　)

0-2　イントネーションを聞きましょう

練習1　聞きましょう。
A-5

　A　文の最後が上がります（⤴）。

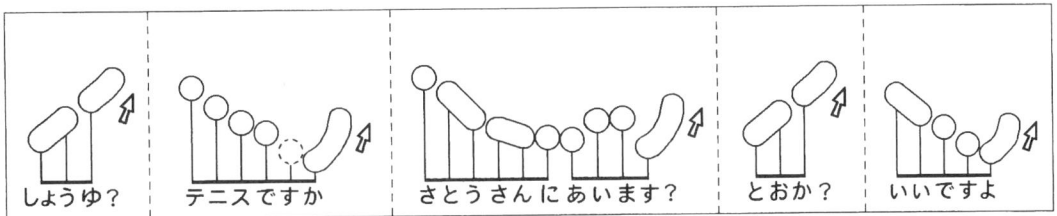

　B　文の最後が上がりません。

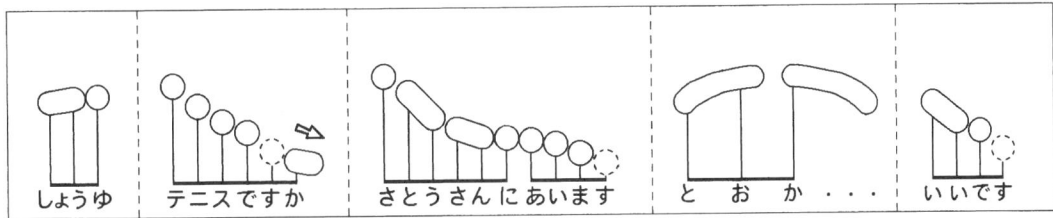

練習2　文の最後は、上がります（○）か、
A-6　　上がりません（×）か。

① (　　) ② (　　) ③ (　　)
④ (　　) ⑤ (　　) ⑥ (　　)
⑦ (　　) ⑧ (　　) ⑨ (　　)
⑩ (　　) ⑪ (　　) ⑫ (　　)
⑬ (　　) ⑭ (　　) ⑮ (　　)
⑯ (　　) ⑰ (　　) ⑱ (　　) ⑲ (　　) ⑳ (　　)
㉑ (　　) ㉒ (　　) ㉓ (　　) ㉔ (　　) ㉕ (　　)
㉖ (　　) ㉗ (　　) ㉘ (　　) ㉙ (　　) ㉚ (　　)

0-3 長い音と短い音を聞きましょう

練習1 聞きましょう。

🎧 A-7

A　長い音(◯)があります。

◯◯◯◯	◯◯	◯◯	◯◯◯◯
コーヒー　ぎゅうにゅう	とうきょう	しょうゆ	むずかしい
あんぜんうんてん	せんせい		
けんこうしんだん	がっこう	◯◯◯◯◯◯	
けんしゅうセンター		よんよんはちはち	

B　長い音(◯)がありません。

◯◯◯◯	◯◯
カタカナ	じしょ
ひらがな	かさ
おととい	くに
しりとり	

練習2　「〜です」の「〜」の中に長い音が
🎧 A-8　あります(◯)か、ありません(×)か。

① (　　)　② (　　)　③ (　　)
④ (　　)　⑤ (　　)　⑥ (　　)
⑦ (　　)　⑧ (　　)　⑨ (　　)
⑩ (　　)　⑪ (　　)　⑫ (　　)
⑬ (　　)　⑭ (　　)　⑮ (　　)
⑯ (　　)　⑰ (　　)　⑱ (　　)　⑲ (　　)　⑳ (　　)
㉑ (　　)　㉒ (　　)　㉓ (　　)　㉔ (　　)　㉕ (　　)
㉖ (　　)　㉗ (　　)　㉘ (　　)　㉙ (　　)　㉚ (　　)

0-4 アクセントを聞きましょう(1)

練習1 聞きましょう。

🎧 A-9

A 「～です」の「～」が下がります(↘)。

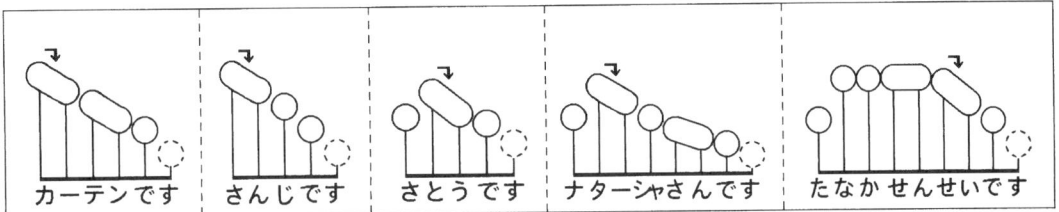

B 「～です」の「～」が下がりません。

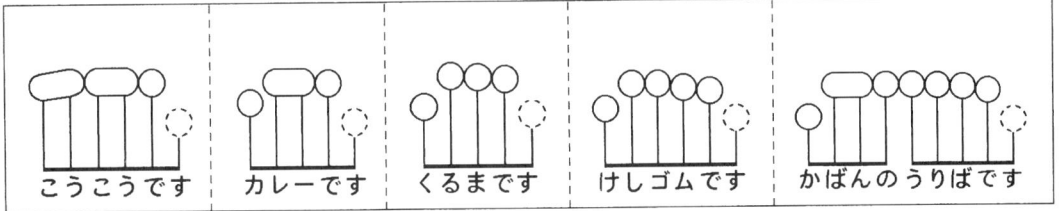

練習2 「～です」の「～」は下がります(○)か、下がりません(×)か。

🎧 A-10

① (　　　) ② (　　　) ③ (　　　)
④ (　　　) ⑤ (　　　) ⑥ (　　　)
⑦ (　　　) ⑧ (　　　) ⑨ (　　　)
⑩ (　　　) ⑪ (　　　) ⑫ (　　　)
⑬ (　　　) ⑭ (　　　) ⑮ (　　　)
⑯ (　　　) ⑰ (　　　) ⑱ (　　　) ⑲ (　　　) ⑳ (　　　)
㉑ (　　　) ㉒ (　　　) ㉓ (　　　) ㉔ (　　　) ㉕ (　　　)
㉖ (　　　) ㉗ (　　　) ㉘ (　　　) ㉙ (　　　) ㉚ (　　　)

0-5 アクセントを聞きましょう(2)

練習1 聞きましょう。
◎A-11

A 長い音（◯）で下がります（▼）。

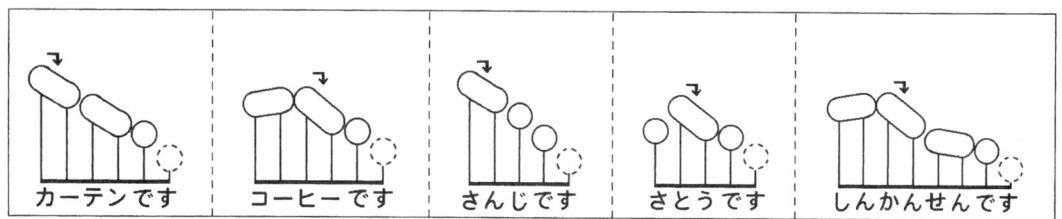

B 短い音（○）で下がります（▼）。

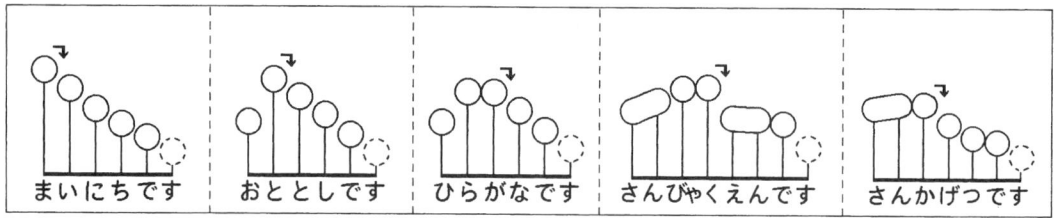

練習2 「〜です」の「〜」が下がります。
◎A-12 下がる音は、長いです（○）か、
短いです（×）か。

① (　　)　② (　　)　③ (　　)
④ (　　)　⑤ (　　)　⑥ (　　)
⑦ (　　)　⑧ (　　)　⑨ (　　)
⑩ (　　)　⑪ (　　)　⑫ (　　)
⑬ (　　)　⑭ (　　)　⑮ (　　)
⑯ (　　)　⑰ (　　)　⑱ (　　)　⑲ (　　)　⑳ (　　)
㉑ (　　)　㉒ (　　)　㉓ (　　)　㉔ (　　)　㉕ (　　)
㉖ (　　)　㉗ (　　)　㉘ (　　)　㉙ (　　)　㉚ (　　)

0. ソース？ しょうゆ？

0-1　練習2
　　　①1　②2　③2　④2　⑤1　⑥1　⑦2　⑧2　⑨1　⑩2
　　　⑪1　⑫1　⑬1　⑭1　⑮2　⑯1　⑰2　⑱2　⑲2　⑳2
　　　㉑2　㉒1　㉓1　㉔2　㉕2　㉖2　㉗1　㉘1　㉙2　㉚2

0-2　練習2
　　　①○　②○　③×　④×　⑤×　⑥○　⑦×　⑧×　⑨○　⑩×
　　　⑪×　⑫○　⑬×　⑭○　⑮○　⑯○　⑰○　⑱○　⑲○　⑳○
　　　㉑○　㉒○　㉓○　㉔×　㉕○　㉖×　㉗×　㉘○　㉙○　㉚○

0-3　練習2
　　　①○　②○　③○　④×　⑤○　⑥○　⑦○　⑧×　⑨×　⑩○
　　　⑪○　⑫○　⑬×　⑭○　⑮○　⑯○　⑰○　⑱○　⑲○　⑳×
　　　㉑×　㉒×　㉓○　㉔○　㉕○　㉖○　㉗×　㉘○　㉙○　㉚×

0-4　練習2
　　　①×　②×　③×　④○　⑤×　⑥○　⑦○　⑧○　⑨×　⑩×
　　　⑪×　⑫○　⑬○　⑭○　⑮×　⑯○　⑰×　⑱×　⑲○　⑳○
　　　㉑○　㉒○　㉓×　㉔×　㉕○　㉖×　㉗○　㉘○　㉙○　㉚×

0-5　練習2
　　　①○　②○　③×　④×　⑤×　⑥×　⑦○　⑧○　⑨×　⑩○
　　　⑪○　⑫○　⑬○　⑭×　⑮×　⑯○　⑰○　⑱×　⑲○　⑳○
　　　㉑○　㉒×　㉓○　㉔○　㉕×　㉖○　㉗○　㉘×　㉙×　㉚×

1 どうぞよろしく。

朝、オフィスに、新しい課長の山田さんが来ました。

ここに注意!

- 「ありがとうございます。」「どうぞよろしくお願いします。」「どうぞよろしく。」などのヤマ
- 「山田一夫です。」「中国の郭さんです。」などのヤマ
- 「高橋さん」「佐藤さん」「山田課長」などのアクセント
- 「すみません、郭…。」などの言いかた

1. どうぞよろしく。

A-13

中村：おはようございます。こちら、山田課長です。
山田：山田です。山田一夫です。どうぞよろしくお願いします。
中村：こちら、高橋さん。佐藤さん。中国の郭さんです。
郭：郭明遠です。どうぞよろしくお願いします。
山田：あ、すみません。郭…。
郭：郭、明遠です。
山田：郭、明遠さんですね。どうぞよろしく。
中村：じゃ、山田さん、よろしく！

1-1 あいさつ 「おはようございます。」

練習0
A-14

「おはようございます。」はヤマ1つ(⛰)です。
「どうぞよろしくおねがいします」はヤマ2つ(⛰⛰)です。
①〜⑩は、ヤマ1つ(1)ですか。ヤマ2つ(2)ですか。
①(　　) ②(　　) ③(　　) ④(　　) ⑤(　　)
⑥(　　) ⑦(　　) ⑧(　　) ⑨(　　) ⑩(　　)

練習1 ヤマ1つ(⛰)です。
A-15

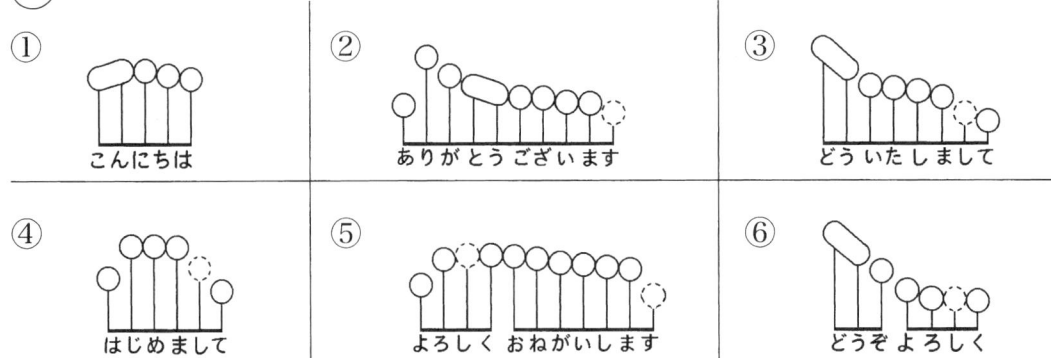

練習2 ヤマ2つ(⛰⛰)です。
A-16

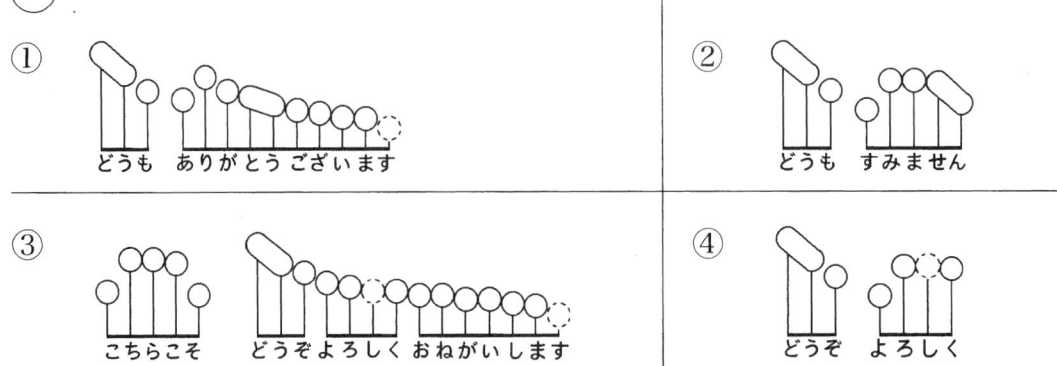

1. どうぞよろしく。

練習1 ヤマ１つ(⛰)です。
A-15
①こんにちは。　②ありがとうございます。　③どういたしまして。
④はじめまして。　⑤よろしくお願いします。　⑥どうぞよろしく。

練習2 ヤマ２つ(⛰⛰)です。
A-16
①どうもありがとうございます。　　②どうもすみません。
③こちらこそどうぞよろしくお願いします。　④どうぞよろしく。

練習1
A-15
①こんにちは。　②あり⌐がとうございま¬す。　③ど⌐ういたしま¬して。
④はじめま¬して。　⑤よろしくおねがいしま¬す。　⑥ど⌐うぞよろしく。

練習2
A-16
①ど⌐うもあり⌐がとうございま¬す。　　②ど⌐うもすみません。
③こちらご⌐そど⌐うぞよろしくおねがいしま¬す。　④ど⌐うぞよろしく。

練習0　①1　②2　③1　④1　⑤2　⑥1　⑦1　⑧2　⑨1　⑩2

1-2 外国人の名前(1)「郭さんです。」

練習0 ◉A-17

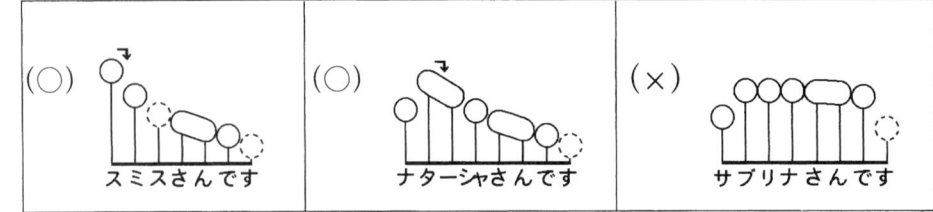

「スミスさんです。」「ナターシャさんです。」の　は、下がります(▼)。
「サブリナさんです。」の　は、下がりません。
①〜⑩は、下がります(○)か。下がりません(×)か。

①(　　　) ②(　　　) ③(　　　) ④(　　　) ⑤(　　　)
⑥(　　　) ⑦(　　　) ⑧(　　　) ⑨(　　　) ⑩(　　　)

練習1 外国人の名前です。
◉A-18

① 　② 　③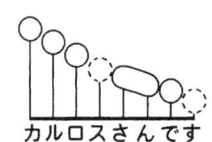

④ 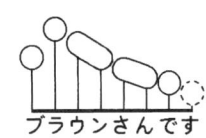　⑤ 　⑥

練習2 国の名前です。
◉A-19

① 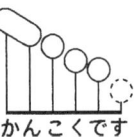　② 　③

④ 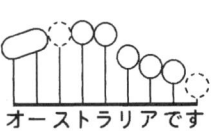　⑤ 　⑥

1. どうぞよろしく。

練習1 外国人の名前です。

A-18　① キムさんです。　② ラーマンさんです。　③ カルロスさんです。
　　　④ ブラウンさんです。　⑤ アピニアさんです。　⑥ モンタナさんです。

練習2 国の名前です。

A-19　① 韓国です。　② 中国です。　③ インドネシアです。
　　　④ オーストラリアです。　⑤ アメリカです。　⑥ フランスです。

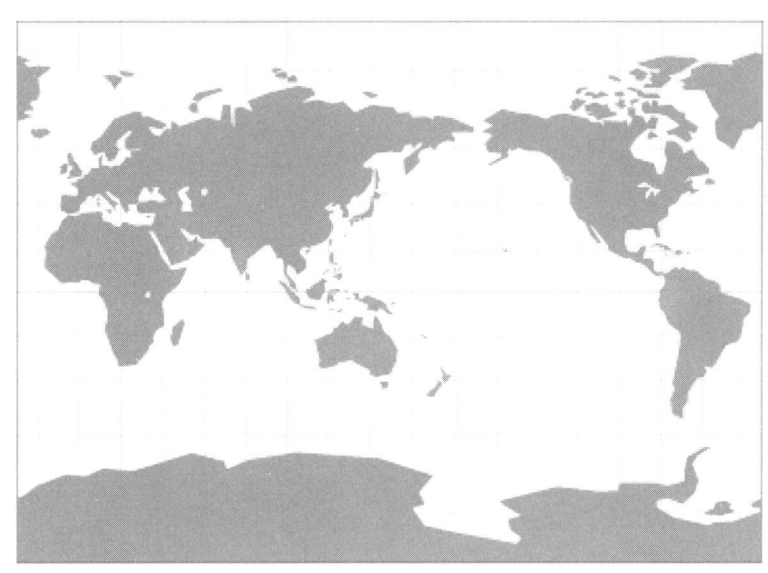

練習1

A-18　①キムさんです。　②ラーマンさんです。　③カルロスさんです。
　　　④ブラウンさんです。　⑤アピニアさんです。　⑥モンタナさんです。

練習2

A-19　①かんこくです。　②ちゅうごくです。　③インドネシアです。
　　　④オーストラリアです。　⑤アメリカです。　⑥フランスです。

練習0　①〇　②〇　③×　④〇　⑤×　⑥×　⑦〇　⑧〇　⑨〇　⑩〇

1-3　外国人の名前(2)「郭明遠です。」

練習0　A-20

「メアリー・スミスさんです。」はヤマ1つ(⛰)です。

「キム・ジョンスクさんです」はヤマ2つ(⛰⛰)です。

①〜⑩は、ヤマ1つ(1)ですか。ヤマ2つ(2)ですか。

①(　　)　②(　　)　③(　　)　④(　　)　⑤(　　)

⑥(　　)　⑦(　　)　⑧(　　)　⑨(　　)　⑩(　　)

練習1　A-21

名字＋名前です。韓国、中国、台湾などはヤマ2つ(⛰⛰)です。

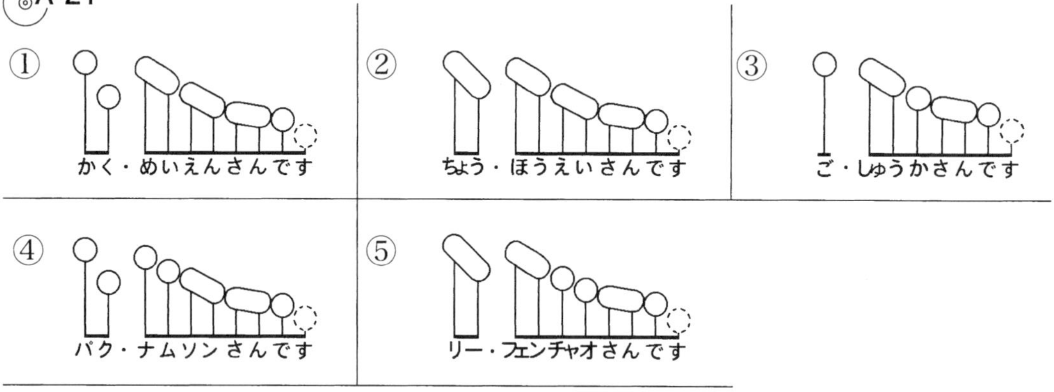

① かく・めいえんさんです

②
ちょう・ほうえいさんです

③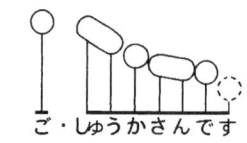
ご・しゅうかさんです

④
パク・ナムソンさんです

⑤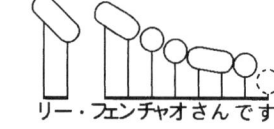
リー・フェンチャオさんです

練習2　A-22

アメリカ、ブラジル、フィリピン、マレーシア、タイ、フランス、ドイツなど、カタカナの名前は、ヤマ1つ(⛰)です。

①
カルロス・ロペスさんです

②
ニコラ・ロビンさんです

③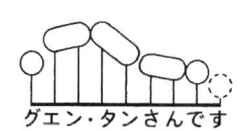
グエン・タンさんです

④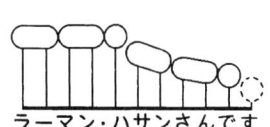
ラーマン・ハサンさんです

⑤
マイケル・ブラウンさんです

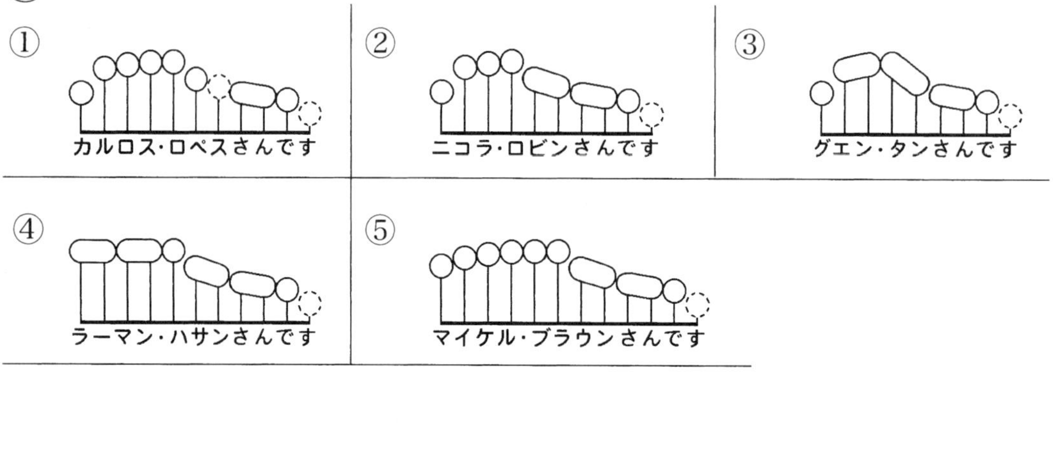

1. どうぞよろしく。

練習1 名字＋名前です。韓国、中国、台湾などはヤマ2つ(⛰⛰)です。
A-21
① 郭明遠さんです。　　② 張芳英さんです。
③ 呉秀華さんです。　　④ 朴南星さんです。
⑤ リー・フェンチャオさんです。

練習2 アメリカ、ブラジル、フィリピン、マレーシア、タイ、フランス、
A-22 ドイツなど、カタカナの名前は、ヤマ1つ(⛰)です。
① カルロス・ロペスさんです。　　② ニコラ・ロビンさんです。
③ グエン・タンさんです。　　④ ラーマン・ハサンさんです。
⑤ マイケル・ブラウンさんです。

練習1
A-21
① がく・めいえんさんです。　　② ちょう・ほうえいさんです。
③ ご・しゅうかさんです。　　④ パク・ナムソンさんです。
⑤ リー・フェンチャオさんです。

練習2
A-22
① カルロス・ロペスさんです。　　② ニコラ・ロビンさんです。
③ グエン・タンさんです。　　④ ラーマン・ハサンさんです。
⑤ マイケル・ブラウンさんです。

練習0　①2　②1　③2　④2　⑤1　⑥2　⑦1　⑧1　⑨2　⑩1

1-4 外国人の名前(3)「中国の郭さんです。」

練習0 A-23

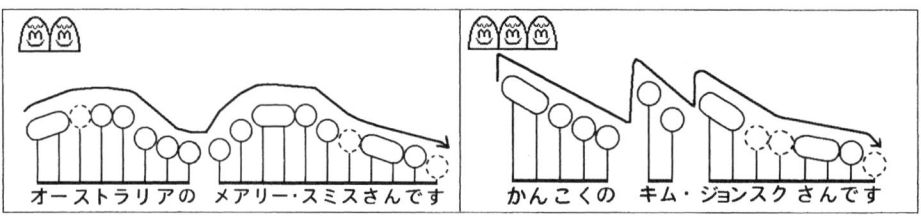

①～⑩は、ヤマ2つ(2)ですか、ヤマ3つ(3)ですか。

①(　　　)　②(　　　)　③(　　　)　④(　　　)　⑤(　　　)
⑥(　　　)　⑦(　　　)　⑧(　　　)　⑨(　　　)　⑩(　　　)

練習1 A-24

「(国の名前)の(人の名前)」はヤマ2つ(「🗻の🗻」)です。ヤマ2つの人の名前は、ヤマ3つ(「🗻の🗻🗻」)です。

①
インドネシアの　ファティマさんです

②
スペインの　カルロス・ロペスさんです

③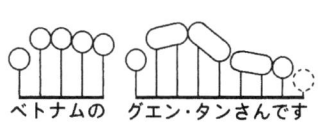
ベトナムの　グエン・タンさんです

④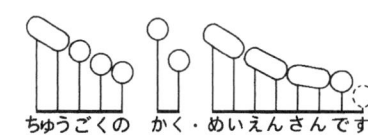
ちゅうごくの　かく・めいえんさんです

⑤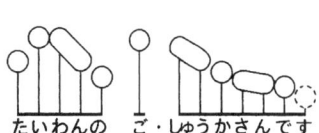
たいわんの　ご・しゅうかさんです

⑥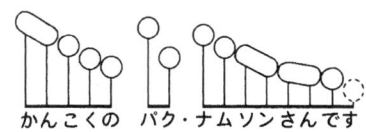
かんこくの　パク・ナムソンさんです

練習2 A-25 自分の名前で練習しましょう。

 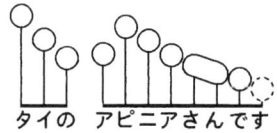
ラーマンさん　こちら　タイの　アピニアさんです

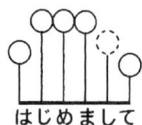 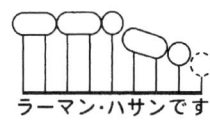 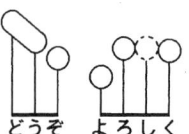
はじめまして　ラーマン・ハサンです　どうぞ　よろしく

1. どうぞよろしく。

練習1
A-24
「(国の名前)の(人の名前)」はヤマ2つ(「😊の😊」)です。ヤマ2つの人の名前は、ヤマ3つ(「😊の😊😊」)です。

① インドネシアのファティマさんです。
② スペインのカルロス・ロペスさんです。
③ ベトナムのグエン・タンさんです。
④ 中国の郭明遠さんです。
⑤ 台湾の呉秀華さんです。
⑥ 韓国の朴南星さんです。

練習2
A-25
自分の名前で練習しましょう。

a:(ラーマンさん)、こちら、(タイ)の(アピニアさん)です。
b:はじめまして。(ラーマン・ハサン)です。どうぞよろしく。

練習1
A-24
① インドネ˺シアのファ˺ティマさんで˺す。
② スペ˺インのカルロス・ロ˺ペスさんで˺す。
③ ベトナムのグエン・タ˺ンさんで˺す。
④ ちゅ˺うごくのがく・め˺いえんさんで˺す。
⑤ たいわんのご˺・しゅ˺うかさんで˺す。
⑥ か˺んこくのパク・ナ˺ムソンさんで˺す。

練習2
A-25
a:(ラ˺ーマンさん)、こちら、(タ˺イ)の(アピ˺ニアさん)です。
b:はじめま˺して。(ラーマン・ハ˺サン)です。ど˺うぞよろしく。

練習0 ①3 ②3 ③2 ④3 ⑤2 ⑥2 ⑦3 ⑧2 ⑨3 ⑩3

1-5　日本人の名前(1)「高橋さん」「佐藤さん」

練習0　A-26

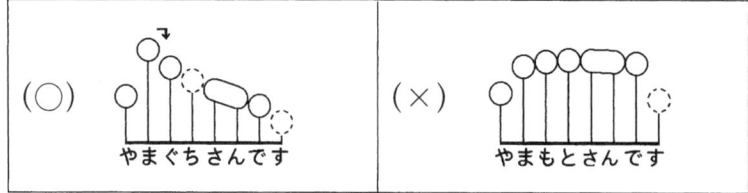

「やまぐちさんです。」の　　は、下がります(▼)。
「やまもとさんです。」の　　は、下がりません。
①〜⑩は、下がります(○)か。下がりません(×)か。
①(　　) ②(　　) ③(　　) ④(　　) ⑤(　　)
⑥(　　) ⑦(　　) ⑧(　　) ⑨(　　) ⑩(　　)

練習1　日本人の名前です。
A-27

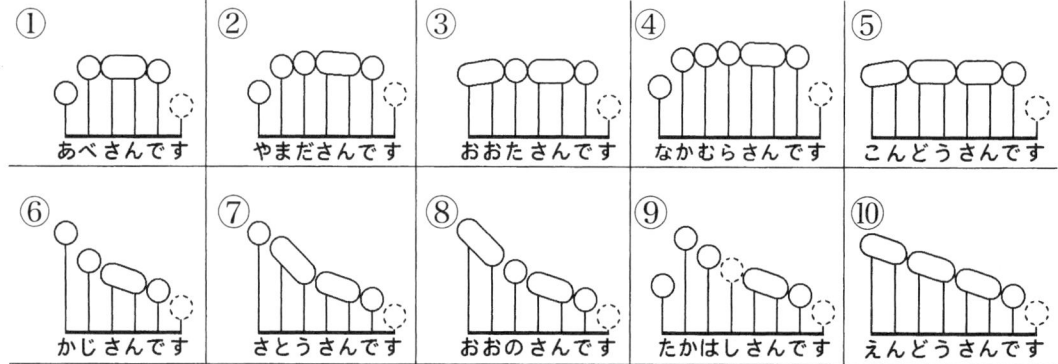

練習2　いろいろな日本人の名前で練習しましょう。
A-28
a:(ボブさん)、こちら、(東京大学)の(田中先生)です。
b:はじめまして。(ロバート・ヘンドリックス)です。
　どうぞよろしくおねがいします。

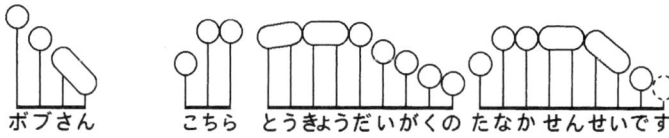

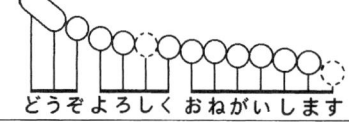

1. どうぞよろしく。

練習1
A-27
日本人の名前です。
① 阿部さんです。　② 山田さんです。　③ 太田さんです。
④ 中村さんです。　⑤ 近藤さんです。
⑥ 梶さんです。　⑦ 佐藤さんです。　⑧ 大野さんです。
⑨ 高橋さんです。　⑩ 遠藤さんです。

練習2
A-28
いろいろな日本人の名前で練習しましょう。
a:(ボブさん)、こちら、(東京大学)の(田中先生)です。
b:はじめまして。(ロバート・ヘンドリックス)です。
　どうぞよろしくお願いします。

練習1
A-27
① あべさんです。　② やまださんです。　③ おおたさんです。
④ なかむらさんです。　⑤ こんどうさんです。
⑥ がじさんです。　⑦ さとうさんです。　⑧ おおのさんです。
⑨ たかはしさんです。　⑩ えんどうさんです。

練習2
A-28
a:(ボブさん)、こちら、(とうきょうだいがく)の(たなかせんせい)です。
b:はじめまして。(ロバート・ヘンドリックス)です。
　どうぞよろしくおねがいします。

練習0　①○　②○　③×　④×　⑤○　⑥×　⑦×　⑧○　⑨×　⑩○

1-6 日本人の名前(2)「山田一夫です。」

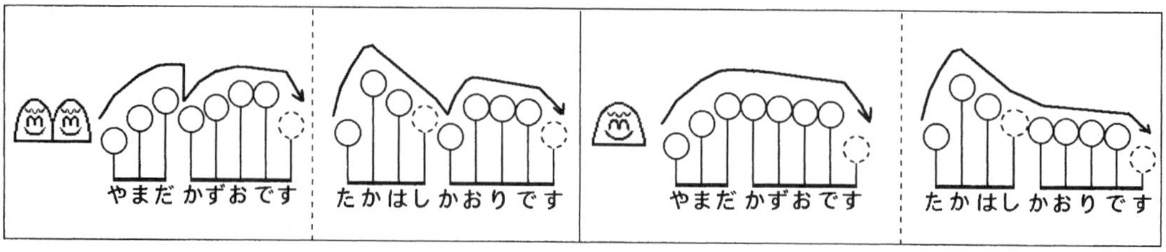

やまだ かずお です / たかはし かおり です / やまだ かずお です / たかはし かおり です

練習0 ①〜⑩は、ヤマ2つ(2)ですか、ヤマ1つ(1)ですか。

A-29　①(　　)　②(　　)　③(　　)　④(　　)　⑤(　　)
　　　⑥(　　)　⑦(　　)　⑧(　　)　⑨(　　)　⑩(　　)

練習1 日本人の名字＋名前は、ヤマ1つ、ヤマ2つ、どちらでもいいです。

A-30

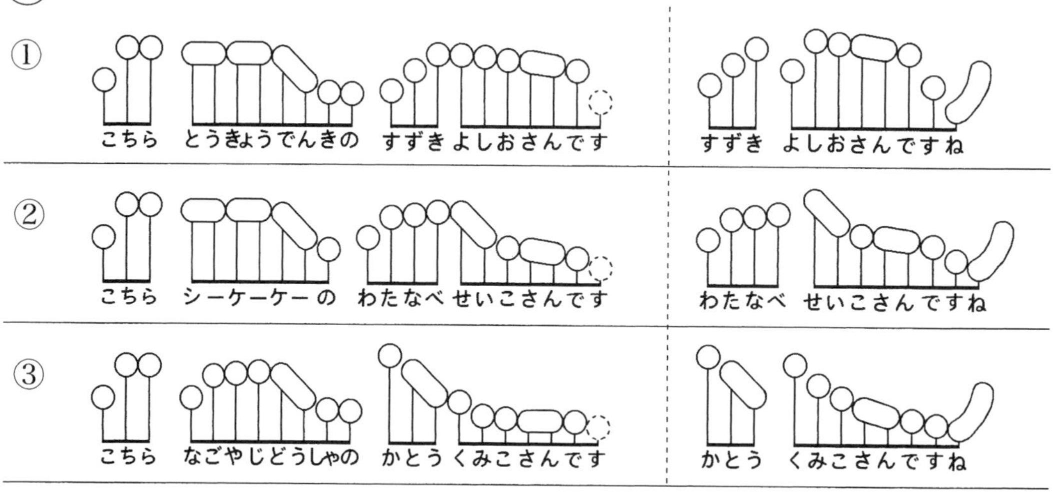

① こちら とうきょうでんきの すずき よしおさんです / すずき よしおさんですね

② こちら シーケーケーの わたなべ せいこさんです / わたなべ せいこさんですね

③ こちら なごやじどうしゃの かとう くみこさんです / かとう くみこさんですね

練習2 ゆっくり言いましょう。

A-31

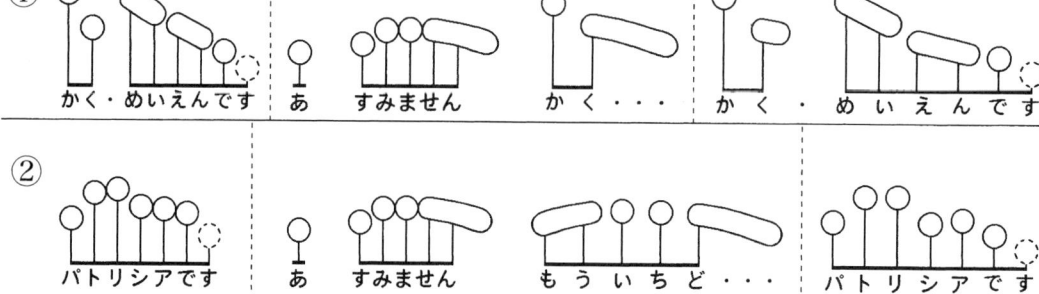

① かく・めいえんです / あ すみません / かく・・・ / かく・めいえんです

② パトリシアです / あ すみません / もういちど・・・ / パトリシアです

1．どうぞよろしく。

練習1
A-30
日本人の名字＋名前は、ヤマ1つ(⛰)、ヤマ2つ(⛰⛰)、どちらでもいいです。
① a: こちら、東京電気の鈴木良夫さんです。　　b: 鈴木良夫さんですね。
② a: こちら、CKKの渡辺聖子さんです。　　b: 渡辺聖子さんですね。
③ a: こちら、名古屋自動車の加藤久美子さんです。b: 加藤久美子さんですね。

練習2
A-31
① a: 郭明遠です。　b: あ、すみません、郭…。　a: 郭明遠です。
② a: パトリシアです。b: あ、すみません、もう一度…。a: パトリシアです。

練習1
A-30
① a: こちら、とうきょうでんきのすずきよしおさんです。
　　b: すずきよしおさんですね。
② a: こちら、シーケーケーのわたなべせいこさんです。
　　b: わたなべせいこさんですね。
③ a: こちら、なごやじどうしゃのかとうくみこさんです。
　　b: かとうくみこさんですね。

練習2
A-31
① a: がく・めいえんです。　　b: あ、すみません、がく…。
　　a: がく・めいえんです。
② a: パトリシアです。　　b: あ、すみません、もういちど…。
　　a: パトリシアです。

練習0　①2　②1　③2　④1　⑤2　⑥1　⑦2　⑧2　⑨1　⑩1

1-7 長い音と短い音(1) 「菅野健太さんです」

練習0 (A)⬜⬜⬜⬜　　(B)⬜○○⬜

A-32 「ほんじょうゆうじさんです。」の　　　　は(A)です。

「しいのゆうこさんです。」の　　　　は(B)です。

①～⑧は、(A)ですか、(B)ですか。

① (　　)　② (　　)　③ (　　)　④ (　　)

⑤ (　　)　⑥ (　　)　⑦ (　　)　⑧ (　　)

練習1 (　　)のことばは、a b c d のどれですか。

A-33

A

① アメリカの(　　)さんです。・　　・a ⬜○○

② イランの(　　)さんです。・　　・b ○○○○

③ メキシコの(　　)さんです。・　　・c ○○⬜

　　　　　　　　　　　　　　　　　・d ○○⬜○

B

① こちら、(　　)さんです。・　　・a ⬜○○○

② こちら、(　　)さんです。・　　・b ○⬜○○

③ こちら、(　　)さんです。・　　・c ⬜○○○

　　　　　　　　　　　　　　　　　・d ○⬜○

練習2 練習しましょう。

A-33

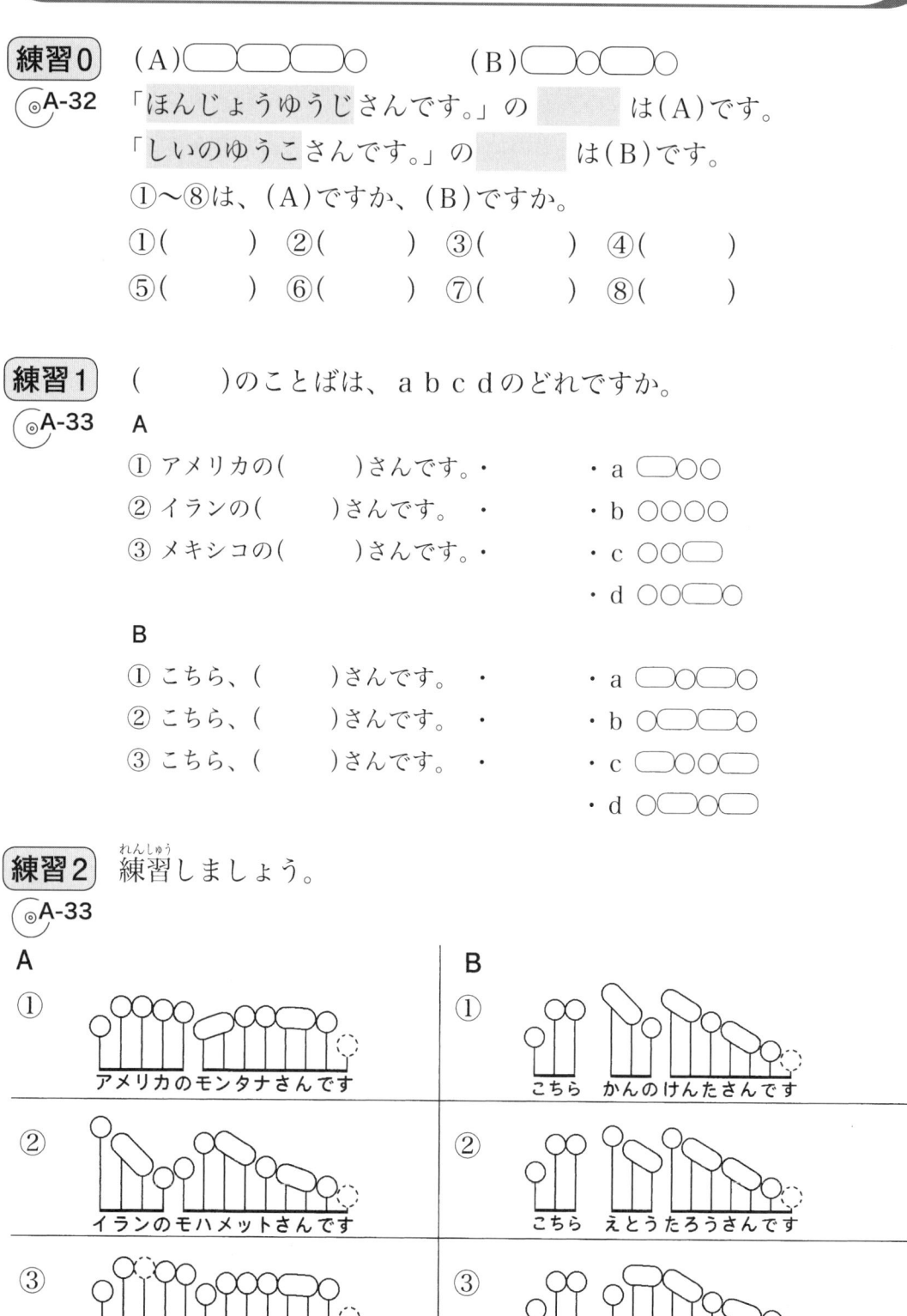

1. どうぞよろしく。

練習3 練習しましょう。

A-34

練習0 ①B ②A ③B ④B ⑤A ⑥B ⑦A ⑧A
(A) ◯◯◯◯◯
② こんどうしょうじ　　⑤ とうどうじゅんこ
⑦ けんぼうこうじ　　　⑧ きんじょうきょうこ
(B) ◯◯◯◯
① なんぶせいこ　　③ おおつれいじ
④ おおどけんご　　⑥ じんぼけいこ

練習1　A ①モンタナ−a　②モハメット−d　③ペドロサ−b
　　　　B ①がんのげんた−a　②えとうたろう−d
　　　　　③いとうじんじ−b

2　カナダのどこですか。

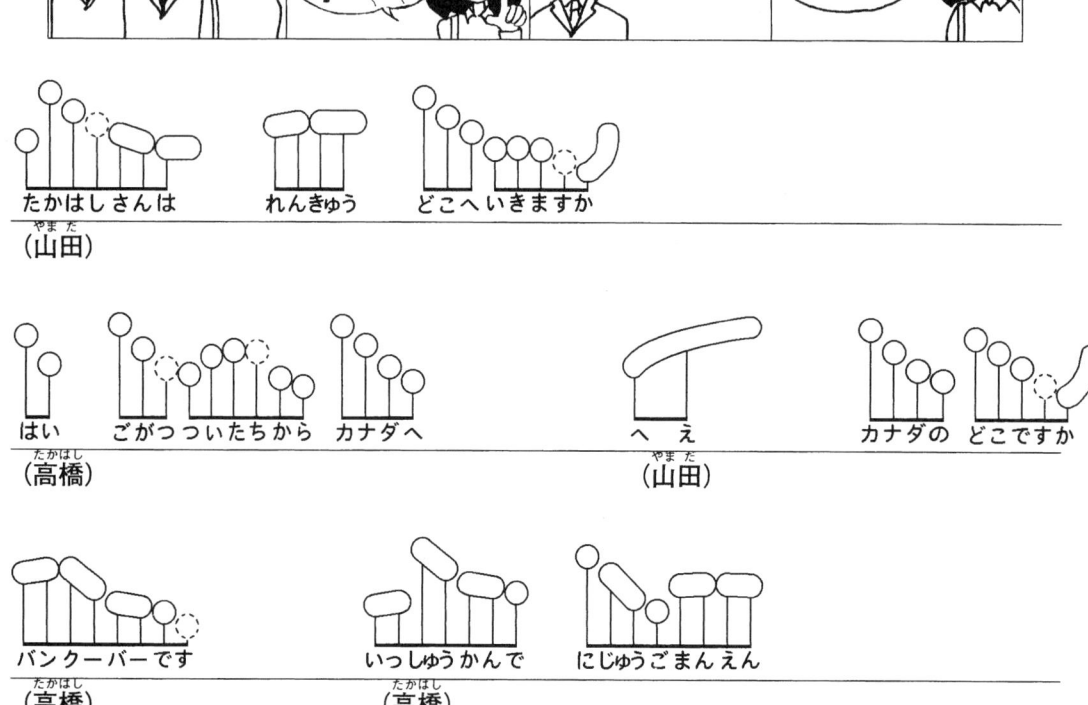

4月の終わりです。高橋さんと郭さんと山田さんが、連休の話をしています。

🐧ここに注意！

- 「どこへ行きますか。」「カナダのどこですか。」などの質問文とその答えの文のヤマ
- 「1週間」などの助数詞のアクセント
- 「5月1日」などの月日のアクセント
- 「6万8千円」などの値段のアクセント

2. カナダのどこですか。

A-35

山田：高橋さんは、連休、どこへ行きますか。
高橋：はい、5月1日からカナダへ。
山田：へえ、カナダのどこですか。
高橋：バンクーバーです。1週間で25万円。
郭　：へえ、いいな。
高橋：郭さんはどうしますか。
郭　：国へ帰ります。往復で6万8千円です。
山田：いいですね。私は一人で仕事です。

2-1 質問文(1)「どこへ行きますか。」

練習0 ①~⑩は、ヤマ1つ(1)ですか。ヤマ2つ(2)ですか。
A-36
①(　) ②(　) ③(　) ④(　) ⑤(　)
⑥(　) ⑦(　) ⑧(　) ⑨(　) ⑩(　)

練習1 「どこ」「だれ」「なん(なに)」「いつ」が文のはじめにあると、「どこ」
A-37 「だれ」「なん(なに)」「いつ」が高くて、後は低いです。ヤマ1つ(☺)です。

① どこですか／とうきょうです
② なんですか／コーヒーです
③ だれですか／かとうさんです
④ いつですか／あしたです

練習2 質問のヤマと答えのヤマの数は同じです。ヤマ1つ(☺)です。
A-38
① どこへいきますか／カナダへいきます
② なんでかえりましたか／バスでかえりました
③ だれのかばんですか／リーさんのです
④ なにをたべましたか／てんぷらをたべました
⑤ いつにほんへきましたか／にねんまえにきました

2．カナダのどこですか。

練習1 A-37　「どこ」「だれ」「なん（なに）」「いつ」が文のはじめにあると、「どこ」「だれ」「なん（なに）」「いつ」が高くて、後は低いです。ヤマ1つ(😊)です。

① a: どこですか。　b: 東京です。　② a: 何ですか。　b: コーヒーです。
③ a: だれですか。　b: 加藤さんです。④ a: いつですか。b: 明日です。

練習2 A-38　質問のヤマと答えのヤマの数は同じです。ヤマ1つ(😊)です。

① a: どこへ行きますか。　　　b: カナダへ行きます。
② a: 何で帰りましたか。　　　b: バスで帰りました。
③ a: だれのかばんですか。　　b: リーさんのです。
④ a: 何を食べましたか。　　　b: 天ぷらを食べました。
⑤ a: いつ日本へ来ましたか。　b: 2年前に来ました。

練習1 A-37
① a: ど˥こですか。　　　　b: と˥うきょうです。
② a: な˥んですか。　　　　b: コ˥ーヒーです。
③ a: だ˥れですか。　　　　b: か˥とうさんです。
④ a: い˥つですか。　　　　b: あ˥したです。

練習2 A-38
① a: ど˥こへいきま˥すか。　　　　b: カ˥ナダへいきま˥す。
② a: な˥んでかえりま˥したか。　　b: バ˥スでかえりま˥した。
③ a: だ˥れのかばんですか。　　　　b: リ˥ーさんのです。
④ a: な˥にをたべま˥したか。　　　b: て˥んぷらをたべま˥した。
⑤ a: い˥つにほんへきま˥したか。　b: に˥ねんま˥えにきま˥した。

練習0　①1　②1　③1　④1　⑤1　⑥1　⑦1　⑧1　⑨1　⑩1

2-2 質問文(2)「カナダのどこですか。」

練習0 ①〜⑩は、ヤマいくつ(1、2、3…)ですか。
A-39
① (　) ② (　) ③ (　) ④ (　) ⑤ (　)
⑥ (　) ⑦ (　) ⑧ (　) ⑨ (　) ⑩ (　)

練習1 「どこ」「だれ」「なん(なに)」「いつ」などは、文の中でもヤマができます。答えのヤマは、「どこ」「だれ」「なん(なに)」「いつ」と同じところにできます。「カナダの」「あの人は」などがない答えかたでも練習しましょう。
A-40

① カナダの どこですか　カナダの バンクーバーです　／　バンクーバーです

② あのひとは だれですか　あのひとは キムさんです

③ これは だれのかばんですか　それは わたしのです

④ ぎんこうは なんじから なんじまでですか　ぎんこうは くじから さんじまでです

練習2 ①〜④は、どんなヤマですか。
A-41
① a: 銀行へ何時に行きますか。　　b: 2時に行きます。
② a: 何時に銀行へ行きますか。　　b: 2時に行きます。
③ a: 高橋さんにいつ会いますか。　　b: 明日会います。
④ a: いつ高橋さんに会いますか。　　b: 明日会います。

① ぎんこうへ なんじに いきますか　にじに いきます
② なんじに ぎんこうへ いきますか　にじに いきます
③ たかはしさんに いつ あいますか　あした あいます
④ いつ たかはしさんに あいますか　あした あいます

2．カナダのどこですか。

練習1 A-40

「どこ」「だれ」「なん(なに)」「いつ」などは、文の中でもヤマができます。答えのヤマは、「どこ」「だれ」「なん(なに)」「いつ」と同じところにできます。「カナダの」「あの人は」などがない答えかたでも練習しましょう。

① a: カナダのどこですか。
　b: カナダのバンクーバーです。／バンクーバーです。
② a: あの人はだれですか。　　　　b: あの人はキムさんです。
③ a: これはだれのかばんですか。　b: それは私のです。
④ a: 銀行は何時から何時までですか。　b: 銀行は9時から3時までです。

練習2 A-41

①～④は、どんなヤマですか。

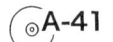

① a: 銀行へ何時に行きますか。　　b: 2時に行きます。
② a: 何時に銀行へ行きますか。　　b: 2時に行きます。
③ a: 高橋さんにいつ会いますか。　b: 明日会います。
④ a: いつ高橋さんに会いますか。　b: 明日会います。

練習1 A-40

① a: カナダのど ̚こですか。
　b: カ ̚ナダのバンク ̚ーバーです。
　　／バンク ̚ーバーです。
② a: あの ̚ひとはだれですか。　　b: あの ̚ひとはキ ̚ムさんです。
③ a: これはだれのかばんですか。　b: それはわたしの ̚です。
④ a: ぎんこうはな ̚んじからな ̚んじま ̚でですか。
　b: ぎんこうはく ̚じからさんじま ̚でです。

練習2 A-41

① a: ぎんこうへな ̚んじにいきま ̚すか。　　b: に ̚じにいきま ̚す。
② a: な ̚んじにぎんこうへいきま ̚すか。　　b: に ̚じにいきま ̚す。
③ a: たか ̚はしさんにい ̚つあいま ̚すか。　　b: あしたあいま ̚す。
④ a: い ̚つたか ̚はしさんにあいま ̚すか。　　b: あしたあいま ̚す。

練習0　①1　②1　③2　④2　⑤2　⑥3　⑦2　⑧2　⑨3　⑩2

2-3 数字「1週間」

練習0 ①～⑩のアクセントは、同じです(○)か、ちがいます(×)か。
A-42

(○) いちです ろくです　　(×) いちです なяでです

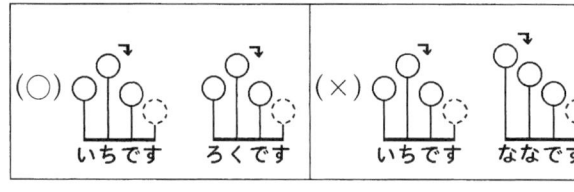

① (　) ② (　) ③ (　) ④ (　) ⑤ (　)
⑥ (　) ⑦ (　) ⑧ (　) ⑨ (　) ⑩ (　)

練習1 練習しましょう。
A-43

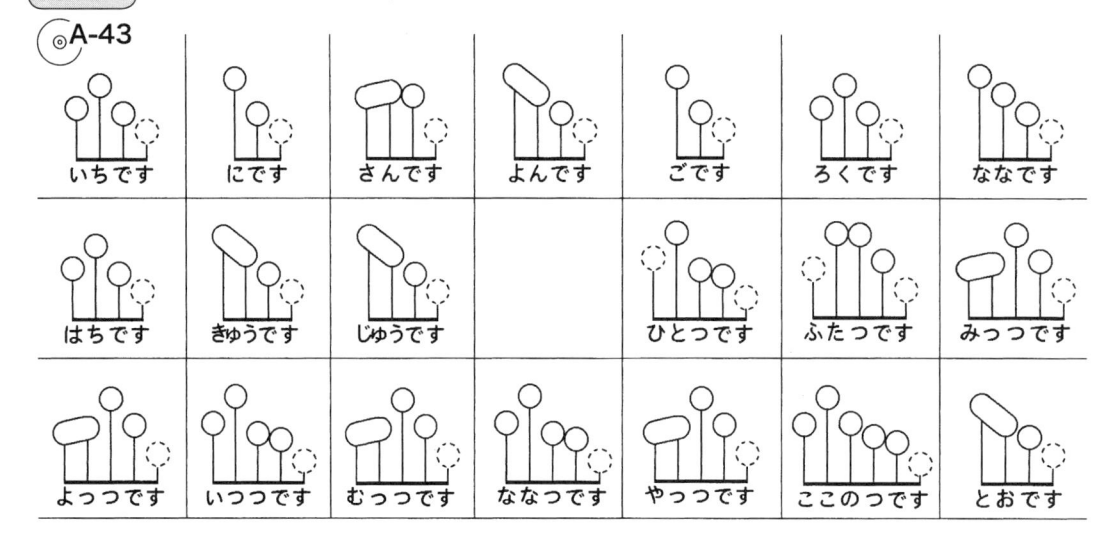

いちです	にです	さんです	よんです	ごです	ろくです	ななです
はちです	きゅうです	じゅうです		ひとつです	ふたつです	みっつです
よっつです	いつつです	むっつです	ななつです	やっつです	ここのつです	とおです

練習2 「〜時間」「〜週間」「〜か月」「〜曜日」のアクセントは、「〜」が何でも「〜じかん」「〜しゅうかん」「〜かげつ」「〜ようび」です。
A-44

① にじかんですか　いいえ　ごじかんです
② いっしゅうかんですか　いいえ　にしゅうかんです
③ さんかげつですか　いいえ　にかげつです
④ きんようびですか　いいえ　もくようびです

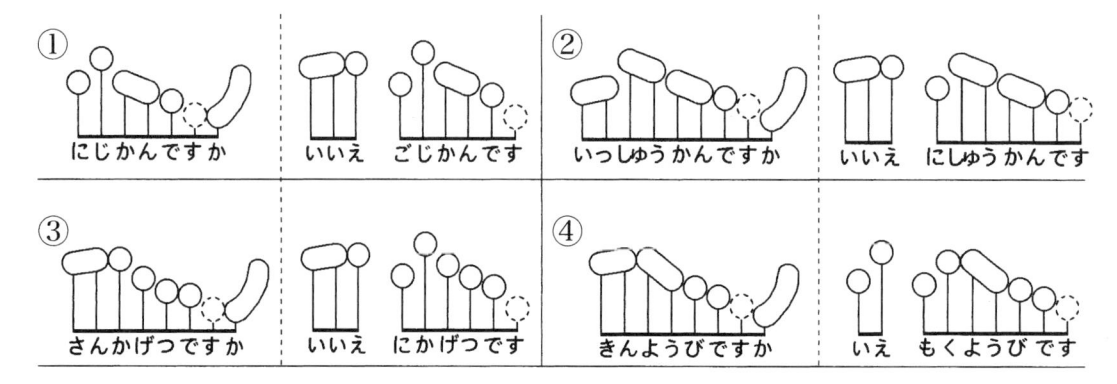

2．カナダのどこですか。

練習1
A-43
1です。 2です。 3です。 4です。 5です。
6です。 7です。 8です。 9です。 10です。
1つです。 2つです。 3つです。 4つです。 5つです。
6つです。 7つです。 8つです。 9つです。 10です。

練習2
A-44
「〜時間」「〜週間」「〜か月」「〜曜日」のアクセントは、「〜」が何でも「〜じ＼かん」「〜しゅ＼うかん」「〜か＼げつ」「〜よ＼うび」です。

① a: 2時間ですか。　　　b: いいえ、5時間です。
② a: 1週間ですか。　　　b: いいえ、2週間です。
③ a: 3か月ですか。　　　b: いいえ、2か月です。
④ a: 金曜日ですか。　　　b: いいえ、木曜日です。

練習1
A-43
いち＼です。　　　に＼です。　　　さんです。　　　よんです。
ご＼です。　　　ろく＼です。　　　な＼なです。　　　は＼ちです。
きゅ＼うです。　　じゅ＼うです。
ひと＼つです。　　ふたつです。　　みっつです。　　よっつです。
いつつです。　　むっつです。　　ななつです。　　やっつです。
ここ＼のつです。　と＼おです。

練習2
A-44
① a: に＼じかんですか。　　　b: いいえ、ご＼じかんです。
② a: いっしゅ＼うかんですか。　　b: いいえ、にしゅ＼うかんです。
③ a: さんか＼げつですか。　　b: いいえ、にか＼げつです。
④ a: きんよ＼うびですか。　　b: いいえ、もくよ＼うびです。

練習0　①○　②×　③○　④×　⑤×　⑥×　⑦○　⑧○　⑨○　⑩×

2-4 月日「5月1日」

練習0 A-45

「さんがつ」は、数字「3」で下がります。「じゅうがつ」は、数字で下がりません。①〜⑩は、数字で下がります(○)か。下がりません(×)か。

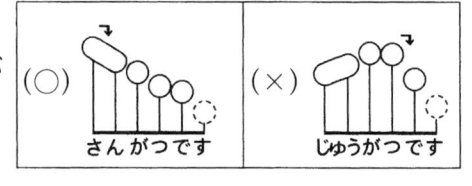

① (　　)　② (　　)　③ (　　)　④ (　　)　⑤ (　　)
⑥ (　　)　⑦ (　　)　⑧ (　　)　⑨ (　　)　⑩ (　　)

練習1 A-46

「3月」「5月」「9月」は「〜゛がつ」です。その他の月は「〜がつ」」です。「1日」は「ついたち」です。「〜日(か)」は下がりません。

いちがつです	にがつです	さんがつです	しがつです	ごがつです	ろくがつです
しちがつです	はちがつです	くがつです	じゅうがつです	じゅういちがつです	じゅうにがつです
ついたちです	ふつかです	みっかです	よっかです	いつかです	
むいかです	なのかです	ようかです	ここのかです	とおかです	

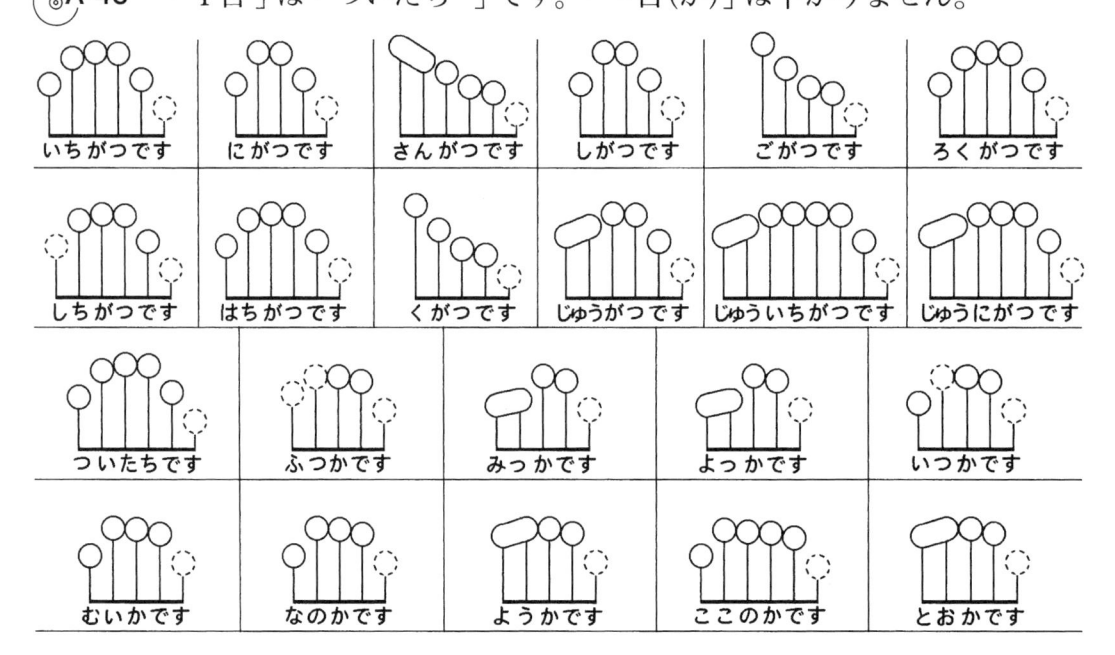

練習2 A-47

①〜⑥は、どんなアクセントですか。
① 10月10日です。　② 3月3日です。　③ 11月4日です。
④ 4月2日です。　⑤ 12月8日です。　⑥ 9月6日です。

① じゅうがつ とおかです
② さんがつ みっかです
③ じゅういちがつ よっかです
④ しがつ ふつかです
⑤ じゅうにがつ ようかです
⑥ くがつ むいかです

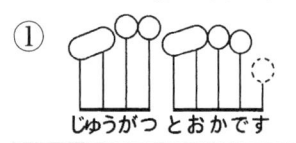

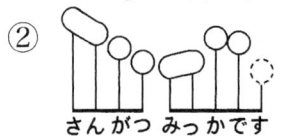

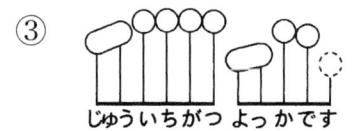

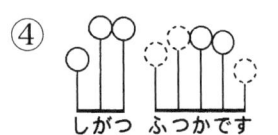

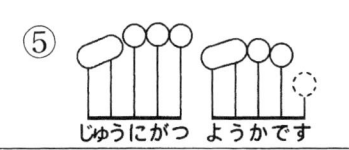

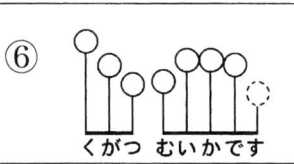

2．カナダのどこですか。

練習1 A-46

「3月」「5月」「9月」は「～がつ」です。その他の月は「～がつ」です。「1日」は「ついたち」です。「～日(か)」は下がりません。

いちがつ	にがつ	さんがつ	しがつ	ごがつ	ろくがつ
1月です。	2月です。	3月です。	4月です。	5月です。	6月です。

しちがつ	はちがつ	くがつ	じゅうがつ	じゅういちがつ	じゅうにがつ
7月です。	8月です。	9月です。	10月です。	11月です。	12月です。

ついたち	ふつか	みっか	よっか	いつか
1日です。	2日です。	3日です。	4日です。	5日です。

むいか	なのか	ようか	ここのか	とおか
6日です。	7日です。	8日です。	9日です。	10日です。

練習2 A-47

①～⑥は、どんなアクセントですか。
① 10月10日です。　② 3月3日です。　③ 11月4日です。
④ 4月2日です。　⑤ 12月8日です。　⑥ 9月6日です。

練習1 A-46

いちがつです。　にがつです。　さんがつです。
しがつです。　ごがつです。　ろくがつです。
しちがつです。　はちがつです。　くがつです。
じゅうがつです。　じゅういちがつです。　じゅうにがつです。
ついたちです。　ふつかです。　みっかです。　よっかです。
いつかです。　むいかです。　なのかです。　ようかです。
ここのかです。　とおかです。

練習2 A-47

① じゅうがつとおかです。　② さんがつみっかです。
③ じゅういちがつよっかです。　④ しがつふつかです。
⑤ じゅうにがつようかです。　⑥ くがつむいかです。

練習0　①×　②×　③×　④×　⑤×　⑥×　⑦×　⑧×　⑨○　⑩○

2-5 値段(1)「5万円」

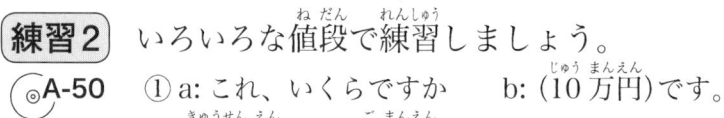

練習0 「〜です」の「〜」は下がります(○)か、下がりません(×)か。
A-48　①(　)　②(　)　③(　)　④(　)　⑤(　)
　　　⑥(　)　⑦(　)　⑧(　)　⑨(　)　⑩(　)

練習1 「〜万円」「〜千円」は「↗→」です。「〜百円」「〜十円」は
A-49　「〜ひ(び・ぴ)ゃく˥えん」「〜じゅ˥うえん」です。

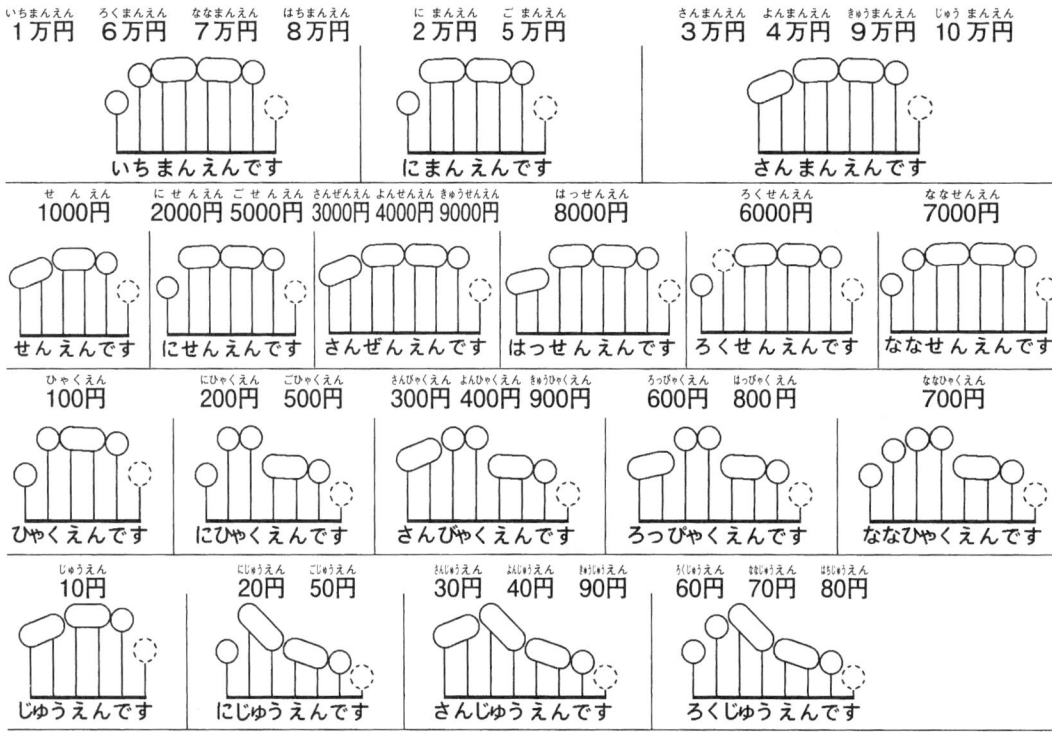

| いちまんえん 1万円 | ろくまんえん 6万円 | ななまんえん 7万円 | はちまんえん 8万円 | にまんえん 2万円 | ごまんえん 5万円 | さんまんえん 3万円 | よんまんえん 4万円 | きゅうまんえん 9万円 | じゅうまんえん 10万円 |

いちまんえんです　にまんえんです　さんまんえんです

せんえん 1000円　にせんえん 2000円　ごせんえん 5000円　さんぜんえん 3000円　よんせんえん 4000円　きゅうせんえん 9000円　はっせんえん 8000円　ろくせんえん 6000円　ななせんえん 7000円

せんえんです　にせんえんです　さんぜんえんです　はっせんえんです　ろくせんえんです　ななせんえんです

ひゃくえん 100円　にひゃくえん 200円　ごひゃくえん 500円　さんびゃくえん 300円　よんひゃくえん 400円　きゅうひゃくえん 900円　ろっぴゃくえん 600円　はっぴゃくえん 800円　ななひゃくえん 700円

ひゃくえんです　にひゃくえんです　さんびゃくえんです　ろっぴゃくえんです　ななひゃくえんです

じゅうえん 10円　にじゅうえん 20円　ごじゅうえん 50円　さんじゅうえん 30円　よんじゅうえん 40円　きゅうじゅうえん 90円　ろくじゅうえん 60円　ななじゅうえん 70円　はちじゅうえん 80円

じゅうえんです　にじゅうえんです　さんじゅうえんです　ろくじゅうえんです

練習2 いろいろな値段で練習しましょう。
A-50　① a: これ、いくらですか　b: (10万円)です。
　　　②(9000円)から(5万円)までです。

① これ　いくらですか　じゅうまんえんです
② きゅうせんえんから　ごまんえんまでです

34

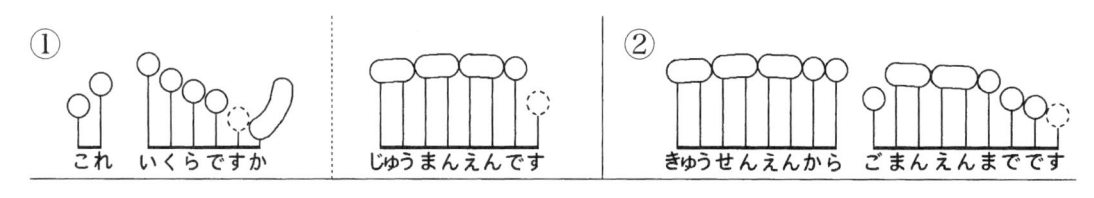

2. カナダのどこですか。

練習1 A-49

「〜万円」「〜千円」は「⤴」です。「〜百円」「〜十円」は「〜ひ(び・ぴ)ゃ￣くえん」「〜じゅ￣うえん」です。

1万円です。 6万円です。 7万円です。 8万円です。 2万円です。 5万円です。
3万円です。 4万円です。 9万円です。 10万円です。
1000円です。 2000円です。 5000円です。
3000円です。 4000円です。 9000円です。 8000円です。 6000円です。 7000円です。
100円です。 200円です。 500円です。
300円です。 400円です。 900円です。 600円です。 800円です。 700円です。
10円です。 20円です。 50円です。 30円です。 40円です。 90円です。
60円です。 70円です。 80円です。

練習2 A-50

いろいろな値段で練習しましょう。

① a: これ、いくらですか。
　 b: (10万円)です。
② (9000円)から(5万円)までです。

練習1 A-49

いちまんえんで￣す。ろくまんえんで￣す。ななまんえんで￣す。はちまんえんで￣す。にまんえんで￣す。ごまんえんです。
さんまんえんで￣す。よんまんえんです。きゅうまんえんです。じゅうまんえんです。
せんえんです。にせんえんで￣す。ごせんえんです。
さんぜんえんで￣す。よんせんえんです。きゅうせんえんです。はっせんえんです。ろくせんえんで￣す。ななせんえんで￣す。
ひゃくえんで￣す。にひゃく￣えんです。ごひゃく￣えんで￣す。
さんびゃく￣えんです。よんひゃく￣えんです。きゅうひゃく￣えんで￣す。
ろっぴゃく￣えんです。はっぴゃく￣えんです。ななひゃく￣えんです。
じゅうえんです。にじゅ￣うえんです。ごじゅ￣うえんです。
さんじゅ￣うえんで￣す。よんじゅ￣うえんで￣す。きゅうじゅ￣うえんです。
ろくじゅ￣うえんで￣す。ななじゅ￣うえんで￣す。はちじゅ￣うえんで￣す。

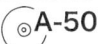

練習2 A-50

① a: これ、い￣くらで￣すか。　b: (じゅうまんえん)で￣す。
② (きゅうせんえん)から(ごまんえん)まで￣で￣す。

練習0　①×　②×　③×　④×　⑤○　⑥○　⑦○　⑧○　⑨○　⑩×

2-6 値段(2)「6万8千円」

練習0 ①〜⑩は、ヤマいくつ(1、2、3…)ですか。
A-51　①(　)　②(　)　③(　)　④(　)　⑤(　)
　　　⑥(　)　⑦(　)　⑧(　)　⑨(　)　⑩(　)

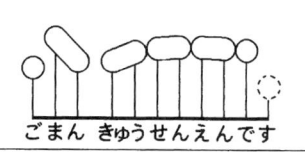

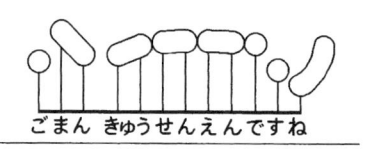

練習1「〜万〜円」「〜千〜円」は、ヤマ2つで「6万‖8千円」「9千‖百円」です。
A-52　アクセントは「〜まﾞん」「〜ぜﾞん」です。①〜⑥は、どんなヤマですか。

① 68000 円です。　② 10800 円です。　③ 51000 円です。
④ 9100 円です。　⑤ 60020 円です。　⑥ 34500 円です。

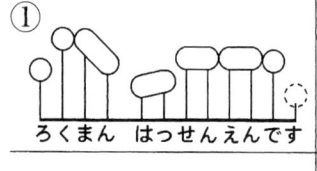

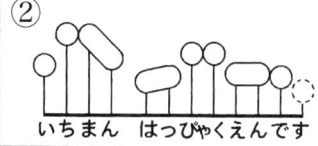

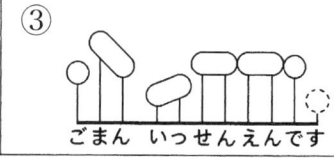

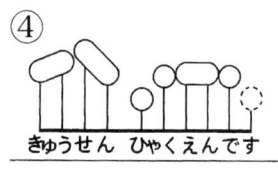

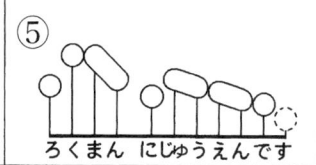

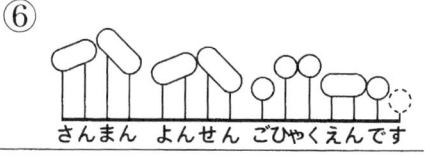

① ろくまん はっせんえんです
② いちまん はっぴゃくえんです
③ ごまん いっせんえんです
④ きゅうせん ひゃくえんです
⑤ ろくまん にじゅうえんです
⑥ さんまん よんせん ごひゃくえんです

練習2 いろいろな値段で練習しましょう。
A-53
① a: これ、いくらですか。　　b: (25000 円)です。
② (2700 円)から(3200 円)までです。
③ a: 全部でいくらですか。b: (59000 円)です。　a: (59000 円)ですね。

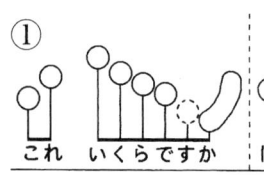

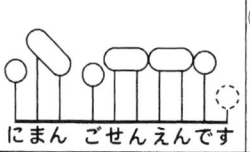

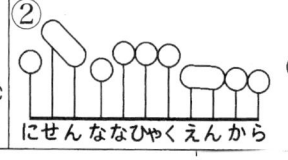

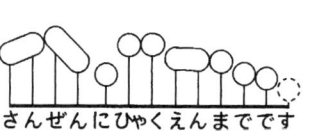

① これ いくらですか ／ にまん ごせんえんです
② にせん ななひゃくえんから ／ さんぜんにひゃくえんまでです
③ ぜんぶでいくらですか ／ ごまん きゅうせんえんです ／ ごまん きゅうせんえんですね

2．カナダのどこですか。

練習1
A-52

「〜万〜円」「〜千〜円」は、ヤマ2つで「6万‖8千円」「9千‖百円」です。アクセントは「〜ま￬ん」「〜ぜ￬ん」です。①〜⑥は、どんなヤマですか。

① 68000円です。　② 10800円です。　③ 51000円です。
④ 9100円です。　⑤ 60020円です。　⑥ 34500円です。

練習2
A-53

いろいろな値段で練習しましょう。
① a: これ、いくらですか。　b:(25000円)です。
② (2700円)から(3200円)までです。
③ a: 全部でいくらですか。b: (59000円)です。a: (59000円)ですね。

練習1
A-52

① ろくま￬んはっせんえんです。　② いちま￬んはっぴゃく￬えんです。
③ ごま￬んいっせんえんです。　④ きゅうぜ￬んひゃくえんです。
⑤ ろくま￬んにじゅ￬うえんです。
⑥ さんま￬んよんぜんごひゃく￬えんです。

練習2
A-53

① a: これ、い￬くらですか。　b: (にま￬んごせんえん)です。
② (にぜんななひゃく￬えん)から(さんぜんにひゃく￬えん)までです。
③ a: ぜんぶでい￬くらですか。
　b: (ごま￬んきゅうせんえん)です。
　a: (ごま￬んきゅうせんえん)ですね。

練習0　①1　②1　③2　④2　⑤2　⑥2　⑦1　⑧4　⑨2　⑩3

2-7 長い音と短い音(2)「バンクーバーです」

練習0 (A) ◯◯◯◯　　(B) ◯◯◯◯

A-54　「じんこうえいせいです。」の　　　は(A)です。
「ちゅうしょうきぎょうです。」の　　　は(B)です。
①〜⑧は、(A)ですか、(B)ですか。
①(　)　②(　)　③(　)　④(　)
⑤(　)　⑥(　)　⑦(　)　⑧(　)

練習1 (　　)のことばは、a b c d e のどれですか。

A-55
A
① (　)ですか。(　)です。・　　・ a ◯◯
② (　)ですか。(　)です。・　　・ b ◯◯
③ (　)ですか。(　)です。・　　・ c ◯◯
④ (　)ですか。(　)です。・　　・ d ◯◯
　　　　　　　　　　　　　　　　・ e ◯◯◯

B
① (　)ですか。(　)です。・　　・ a ◯◯◯◯
② (　)ですか。(　)です。・　　・ b ◯◯◯◯
③ (　)ですか。(　)です。・　　・ c ◯◯◯◯
④ (　)ですか。(　)です。・　　・ d ◯◯◯◯
　　　　　　　　　　　　　　　　・ e ◯◯◯

練習2 練習しましょう。

A-56
①(◯◯◯◯◯　◯◯◯◯◯　◯◯◯◯◯) ◯◯◯◯◯
　おおやまさんは　どうぶつえんで　ミッシェルさんに　あいました。
②(◯◯◯◯◯　◯◯◯◯◯　◯◯◯◯◯)
　センターから　くうこうまで　じゅっぷんです。
③(◯◯◯◯◯　◯◯◯◯◯◯　◯◯◯◯◯)
　きんようびまで　けんきゅうしつで　べんきょうします。
④(◯◯◯◯◯　◯◯◯◯◯　◯◯◯◯◯)
　せんせいの　けっこんは　こんしゅうの　きんようです。
⑤(◯◯◯◯　◯◯◯◯◯　◯◯◯◯◯)
　スーパーの　ぎゅうにゅうは　あんしんです。
⑥(◯◯◯◯◯　◯◯◯◯◯　◯◯◯◯◯)
　ちゅうがっこうの　コンピューターは　じゅうまんえんです。

2．カナダのどこですか。

○⌐○○○
　⌐○○○　ミッシェルさん (6-7,3-7)
　○○⌐○　動物園 (5-7,3-7)
　○○○⌐　大山さん (5-7,4-7)
○⌐○
　⌐○○　センター (3-7,5-7)　10分 (7-7,3-7)　スーパー (5-7)
　○⌐○　先生 (4-7,5-7)　金曜 (4-7,5-7)
　○○⌐　勉強 (3-7,5-7)　空港 (5-7)　結婚 (6-7,3-7)
　　　　　今週 (4-7,5-7)　牛乳 (5-7)　安心 (4-7,3-7)
○○⌐○
　○⌐○○　金曜日 (4-7,5-7)　誕生日 (3-7,5-7)
○⌐○○○
　⌐○○○○　研究室 (3-7,5-7)　万年筆 (3-7,4-7)　郵便局 (5-7,3-7)
○⌐○○○
　○⌐○○○　中学校 (5-7,6-7)　コンピューター (3-7,5-7)
　○○⌐○○　十万円 (5-7,4-7,3-7)

練習0　①A　②B　③B　④A　⑤A　⑥B　⑦A　⑧B
　　　（A）○⌐○○○
　　　①こうりゅうセンター　④こうつうじょうきょう
　　　⑤べんきょうねっしん　⑦けんきゅうはっぴょう
　　　（B）○○⌐○○
　　　②きょうどうさぎょう　③りゅうきゅうぶよう
　　　⑥かんきょうおせん　⑧じょうじょうきぎょう
練習1　A　①が｜さ－b　②ざっし－d
　　　　　③とけい－c　④せんせ｜い－a
　　　B　①カラオケ－a　②せんたく－d
　　　　　③カ｜メラ－e　④にほんご－b

3 友達に会いますから。

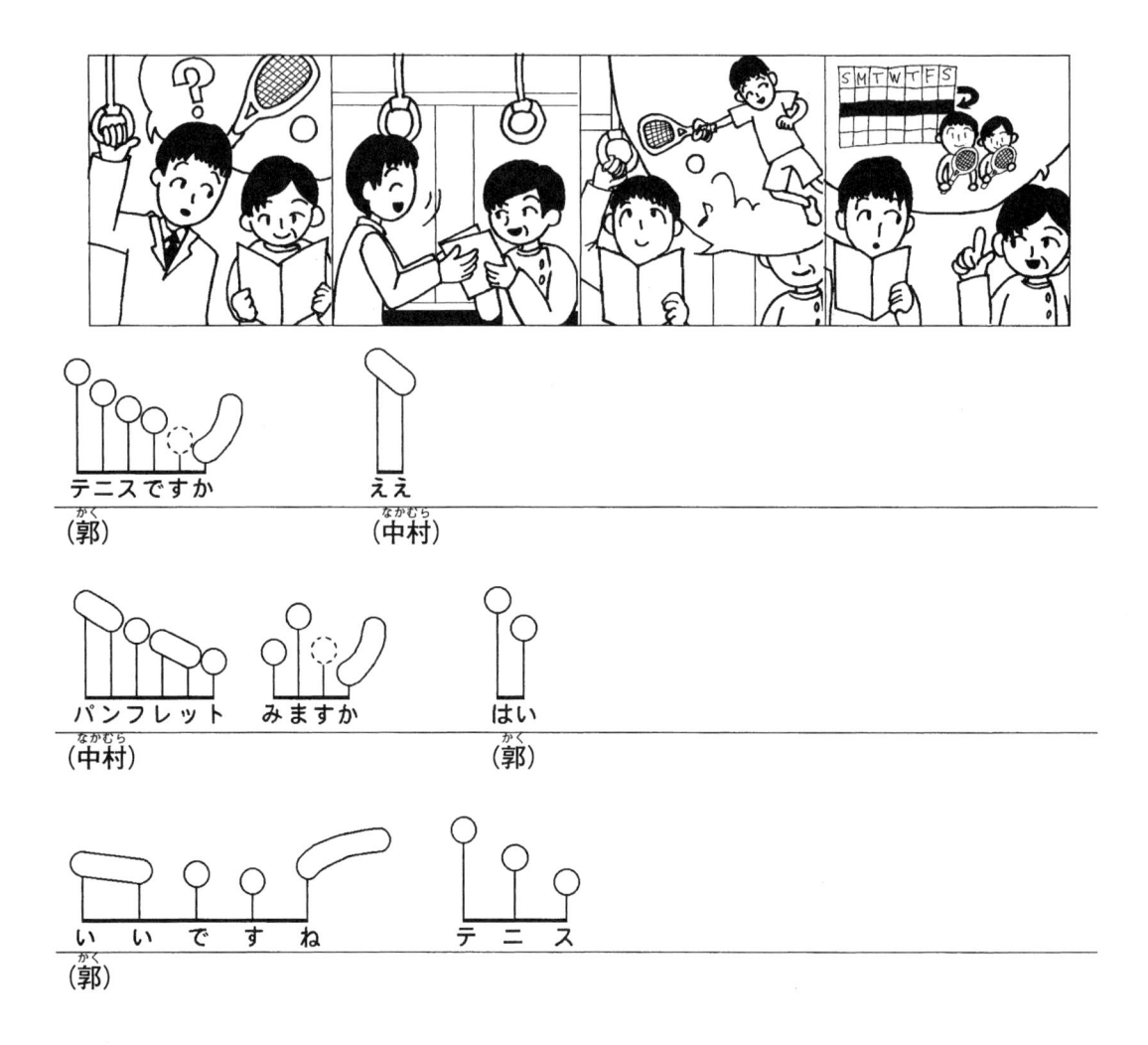

テニスですか (郭)
ええ (中村)

パンフレット みますか (中村)
はい (郭)

いいですね (郭)
テニス

電車の中で、中村部長がテニスのパンフレットを見ています。

🐧ここに注意！

- 「テニスですか。」などの質問文のイントネーション
- 「友達に会います。」「パンフレット、見ますか。」などの名詞＋動詞の文やその質問文のヤマ
- 「いっしょにテニスをしませんか。」などの誘いの文のヤマ
- 「土曜日はちょっと…。」など、誘いを断るときのイントネーション

3. 友達に会いますから

らいしゅう いっしょに テニスを しませんか
(中村)

ええ いいですね
(郭)

じゃ きんようびと どようびと どちらが いいですか
(中村)

どようびは ちょっと…
(郭)

ともだちに あいますから
(郭)

そうですか じゃ きんようびにしましょう
(中村)

A-57

郭　：テニスですか。
中村：ええ。　パンフレット、見ますか。
郭　：はい。　いいですね、テニス。
中村：来週、いっしょにテニスをしませんか。
郭　：ええ、いいですね。
中村：じゃ、金曜日と土曜日とどちらがいいですか。
郭　：土曜日はちょっと…。　友達に会いますから。
中村：そうですか。　じゃ、金曜日にしましょう。

3-1 質問文(3)「そうですか。」

練習0 ①〜⑩の文の最後は、上がります(○)か、上がりません(×)か。
A-58
①(　) ②(　) ③(　) ④(　) ⑤(　)
⑥(　) ⑦(　) ⑧(　) ⑨(　) ⑩(　)

練習1 質問の「テニスですか。」は最後の「か」だけが上がります(b)。
A-59 だんだん上がるcや、「か」が長いdは、だめです。「わかりました」という気持ちの「テニスですか。」は「か」が上がりません(e)。

a	b	c	d	e
テニスです	テニスですか	テニスですか	テニスですか	テニスですか

① せんせいですか / はい そうです
② とうきょうですか / いいえ ちがいます
③ げんきですか / ええ げんきです
④ おもいですか / いえ だいじょうぶです

練習2 「〜は〜ですか。」や「〜は〜です。」はヤマ2つです。
A-60

① かいぎは きんようびですか / いえ かいぎは もくようびです / あ もくようびですか

② きょうとは さむかったですか / はい きょうとは さむかったです / そうですか

3．友達に会いますから

練習1
A-59
質問の「テニスですか。」は最後の「か」だけが上がります(b)。だんだん上がるcや、「か」が長いdは、だめです。「わかりました」という気持ちの「テニスですか。」は「か」が上がりません(e)。
(a) テニスです。　　(b) テニスですか。　　(e) テニスですか。
① a: 先生ですか。　　　　　b: はい、そうです。
② a: 東京ですか。　　　　　b: いいえ、違います。
③ a: 元気ですか。　　　　　b: ええ、元気です。
④ a: 重いですか。　　　　　b: いえ、大丈夫です。

練習2
A-60
「〜は〜ですか。」や「〜は〜です。」はヤマ2つです。
① a: 会議は金曜日ですか。
　 b: いえ、会議は木曜日です。
　 a: あ、木曜日ですか。
② a: 京都は寒かったですか。
　 b: はい、京都は寒かったです。
　 a: そうですか。

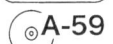

練習1
A-59
(a) テニスで￢す。　　(b) テニスで￢すか。　　(e) テニスで￢すか。
① a: せんせ￢いですか。　　　　b: は￢い、そ￢うです。
② a: とうきょ￢うですか。　　　b: いいえ、ちがいま￢す。
③ a: げ￢んきですか。　　　　　b: え￢え、げ￢んきです。
④ a: おも￢いですか。　　　　　b: いえ、だいじょ￢うぶで￢す。

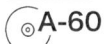

練習2
A-60
① a: か￢いぎはきんよ￢うびで￢すか。
　 b: いえ、か￢いぎはもくよ￢うびで￢す。
　 a: あ、もくよ￢うびですか。
② a: きょ￢うとはさむ￢かったで￢すか。
　 b: は￢い、きょ￢うとはさむ￢かったです。
　 a: そ￢うですか。

練習0　①○　②○　③×　④○　⑤○　⑥○　⑦×　⑧○　⑨○　⑩×

3-2　ます形「見ますか。」

練習0　◎A-61

「おはようございます」は「ま」で下がります。
①～⑩は、「ま」で下がります（A）か、「ま」じゃない音で下がります（B）か。

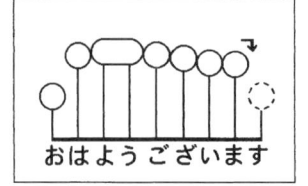

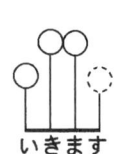

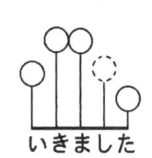

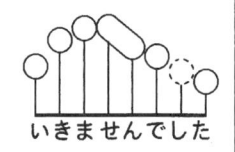

① (　　)　② (　　)　③ (　　)　④ (　　)　⑤ (　　)
⑥ (　　)　⑦ (　　)　⑧ (　　)　⑨ (　　)　⑩ (　　)

練習1　練習しましょう。　◎A-62

いきます	いきました	いきません	いきませんでした	いきましょう
かきま゛す	かきま゛した	かきま゛せん	かきま゛せんで゛した	かきましょ゛う
ならいま゛す	ならいま゛した	ならいま゛せん	ならいま゛せんで゛した	ならいましょ゛う
みま゛す	みま゛した	みま゛せん	みま゛せんで゛した	みましょ゛う

練習2　質問の「か」の文でも、アクセントは同じです。　◎A-63

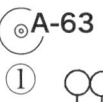

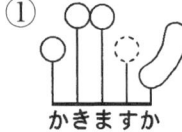

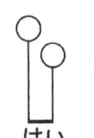

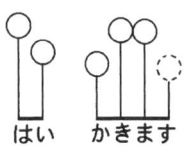

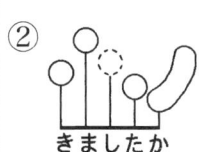

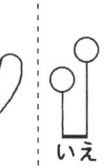

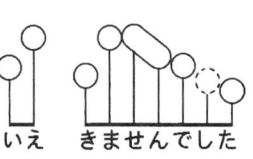

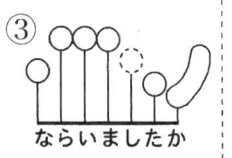

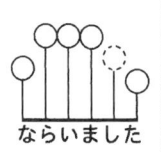

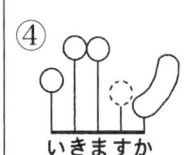

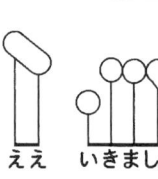

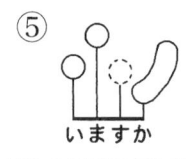

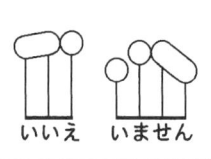

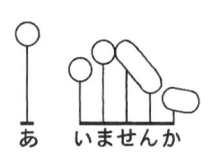

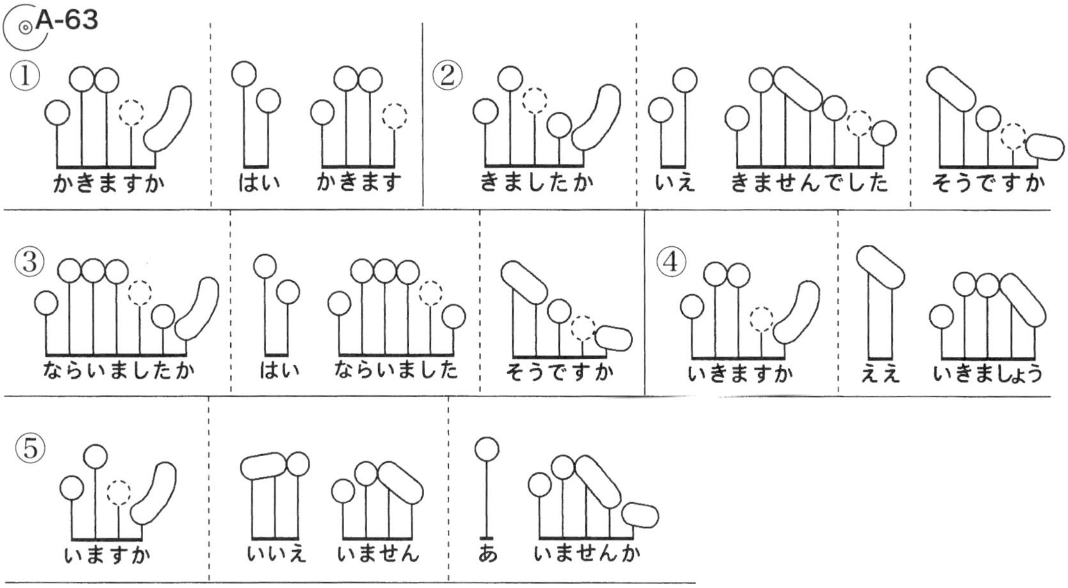

① かきますか／はい　かきます
② きましたか／いえ　きませんでした／そうですか
③ ならいましたか／はい　ならいました／そうですか
④ いきますか／ええ　いきましょう
⑤ いますか／いいえ　いません／あ　いませんか

3．友達に会いますから

練習1

A-62

練習しましょう。
行きます　行きました　行きません　行きませんでした　行きましょう
書きます　書きました　書きません　書きませんでした　書きましょう
習います　習いました　習いません　習いませんでした　習いましょう
見ます　見ました　見ません　見ませんでした　見ましょう

練習2

A-63

質問の「か」の文でも、アクセントは同じです。
① a: 書きますか。　　　b: はい、書きます。
② a: 来ましたか。　　　b: いえ、来ませんでした。　a: そうですか。
③ a: 習いましたか。　　b: はい、習いました。　　　a: そうですか。
④ a: 行きますか。　　　b: ええ、行きましょう。
⑤ a: いますか。　　　　b: いいえ、いません。　　　a: あ、いませんか。

練習1

A-62

いきま￢す　　いきま￢した　　いきませ￢ん　　いきませ￢んでした　　いきましょ￢う
かきま￢す　　かきま￢した　　かきませ￢ん　　かきませ￢んでした　　かきましょ￢う
ならいま￢す　ならいま￢した　ならいませ￢ん　ならいませ￢んでした　ならいましょ￢う
みま￢す　　　みま￢した　　　みませ￢ん　　　みませ￢んでした　　　みましょ￢う

練習2

A-63

① a: かきま￢すか。　　b: は￢い、かきま￢す。
② a: き￢ましたか。　　b: いえ、きませ￢んでした。　a: そ￢うですか。
③ a: ならいま￢したか。b: は￢い、ならいま￢した。　a: そ￢うですか。
④ a: いきま￢すか。　　b: え￢え、いきましょ￢う。
⑤ a: いま￢すか。　　　b: いいえ、いませ￢ん。　　　a: あ、いませ￢んか。

練習0　①A　②A　③A　④A　⑤A　⑥A　⑦A　⑧B　⑨B　⑩B

3-3 長い文(1)「土曜日は友達に会います。」

練習0 ①～⑩は、ヤマ1つ(1)ですか。ヤマ2つ(2)ですか。

A-64　①(　) ②(　) ③(　) ④(　) ⑤(　)
　　　⑥(　) ⑦(　) ⑧(　) ⑨(　) ⑩(　)

練習1　「友達に」＋「会います」→「友達に会います。」、

A-65　「先生に」＋「会います」→「先生に会います。」、
　　　「佐藤さんに」＋「会います」→「佐藤さんに会います。」

でヤマ1つです。ヤマの形はちがいますが、ヤマは1つです。

a　だれに あいますか
b　ともだちに あいます
c　せんせいに あいます
d　さとうさん に あいます

① とうきょうへいきます
② さかなを たべました
③ こうちゃをのみましょう
④ テニスをしました
⑤ じてんしゃでいきます
⑥ きんようびにしましょう

練習2　「～は」の後には、新しいヤマができます。

A-66

① わたしは ワインを のみます
② ごごは にほんごを べんきょうします
③ あしたは えいがを みましょう
④ たかはしさんは ゆうびんきょくへ いきました
⑤ なかむらさんは かばんを かいました

練習1
A-65

「友達に」＋「会います」→「友達に会います。」、
「先生に」＋「会います」→「先生に会います。」、
「佐藤さんに」＋「会います」→「佐藤さんに会います。」
でヤマ１つです。ヤマの形はちがいますが、ヤマは１つです。

(a) だれに会いますか。
(b) 友達に会います。　(c) 先生に会います。　(d) 佐藤さんに会います。
① 東京へ行きます。　② 魚を食べました。　③ 紅茶を飲みましょう。
④ テニスをしました。　⑤ 自転車で行きます。　⑥ 金曜日にしましょう。

練習2
A-66

「〜は」の後には、新しいヤマができます。
① 私はワインを飲みます。
② 午後は日本語を勉強します。
③ 明日は映画を見ましょう。
④ 高橋さんは郵便局へ行きました。
⑤ 中村さんはかばんを買いました。

練習1
A-65

(a) だれにあいま＼すか。
(b) ともだちにあいま＼す。(c) せんせ＼いにあいま＼す。(d) さ＼とうさんにあいま＼す。
① とうきょうへいきま＼す。　② さかなをたべま＼した。
③ こうちゃをのみましょ＼う。　④ テ＼ニスをしま＼した。
⑤ じてんしゃでいきま＼す。　⑥ きんよ＼うびにしましょ＼う。

練習2
A-66

① わたしはワ＼インをのみま＼す。
② ご＼ごはにほんごをべんきょうしま＼す。
③ あした＼はえ＼いがをみましょ＼う。
④ たか＼はしさんはゆうびんきょくへいきま＼した。
⑤ なかむらさんはかばんをかいま＼した。

練習0　①1　②1　③1　④1　⑤1　⑥2　⑦2　⑧2　⑨2　⑩2

3-4 質問文(4)「パンフレット、見ますか。」

練習0 ①〜⑩は、ヤマ1つ(1)ですか。ヤマ2つ(2)ですか。
A-67　①(　　) ②(　　) ③(　　) ④(　　) ⑤(　　)
　　　⑥(　　) ⑦(　　) ⑧(　　) ⑨(　　) ⑩(　　)

練習1 「佐藤さんに会います。」はヤマ1つですが、質問の「佐藤さんに会いますか。」は、「佐藤さんに会いますか／会いませんか。」が聞きたいので、ヤマ2つです。
A-68

a　さとうさんに あいます
b　やまださんに あいます
c　さとうさんに あいますか
d　やまださんに あいますか

① ゆうびんきょくへ いきますか／はい いきます
② せんせいに いいましたか／いえ まだです
③ パンフレット みますか／はい みます
④ きょうかしょを よみましたか／いいえ よみませんでした

練習2 「車で行きますか。」は、「何で行きますか。車ですか、バスですか、電車ですか…。」が聞きたいので、ヤマ1つです。
A-69

① パーティーに いきますか／はい いきます／くるまで いきますか／いいえ バスで いきます
② しゅくだいを しましたか／はい しました／ひとりで しましたか／はい ひとりで しました

3. 友達に会いますから

練習1 A-68

「佐藤さんに会います。」はヤマ1つですが、質問の「佐藤さんに会いますか。」は、「佐藤さんに会いますか／会いませんか。」が聞きたいので、ヤマ2つです。

(a) 佐藤さんに会います。　　　　(b) 山田さんに会います。
(c) 佐藤さんに会いますか。　　　(d) 山田さんに会いますか。

① a: 郵便局へ行きますか。　　　b: はい、行きます。
② a: 先生に言いましたか。　　　b: いえ、まだです。
③ a: パンフレット、見ますか。　　b: はい、見ます。
④ a: 教科書を読みましたか。　　　b: いいえ、読みませんでした。

練習2 A-69

「車で行きますか。」は、「何で行きますか。車ですか、バスですか、電車ですか…。」が聞きたいので、ヤマ1つです。

① a: パーティーに行きますか。　　b: はい、行きます。
　　a: 車で行きますか。　　　　　b: いいえ、バスで行きます。
② a: 宿題をしましたか。　　　　　b: はい、しました。
　　a: 一人でしましたか。　　　　　b: はい、一人でしました。

練習1 A-68

(a) さ￩とうさんにあいま￩す。
(b) や￩まださんにあいま￩す。
(c) さ￩とうさんにあいま￩すか。
(d) や￩まださんにあいま￩すか。

① a: ゆ￩うびんきょくへいきま￩すか。　b: は￩い、いきま￩す。
② a: せ￩んせ￩いにいいま￩したか。　　b: いえ、ま￩だです。
③ a: パ￩ンフレット、みま￩すか。　　　b: は￩い、みま￩す。
④ a: きょ￩うか￩しょをよみま￩したか。　b: いいえ、よみませんでした。

練習2 A-69

① a: パ￩ーティーにいきま￩すか。　　b: は￩い、いきま￩す。
　　a: く￩るまでいきま￩すか。　　　b: いいえ、バスでいきま￩す。
② a: しゅくだいをしま￩したか。　　　b: は￩い、しま￩した。
　　a: ひ￩とりでしま￩したか。　　　　b: は￩い、ひ￩とりでしま￩した。

練習0　①1　②2　③1　④2　⑤2　⑥2　⑦2　⑧1　⑨2　⑩2

3-5 誘いの文 「いっしょにテニスをしませんか。」

練習0 ①〜⑩は、ヤマいくつ(1、2、3…)ですか。
◎A-70
①(　　) ②(　　) ③(　　) ④(　　) ⑤(　　)
⑥(　　) ⑦(　　) ⑧(　　) ⑨(　　) ⑩(　　)

練習1 「テニスをしませんか。」のように誘うときは、ヤマ1つです。
◎A-71 「いっしょに‖テニスをしませんか。」は、ヤマ2つです。

① いっしょに ビールを のみませんか ／ ええ いいですね ／ じゃ いきましょう

② いっしょに えいがを みませんか ／ ええ いいですね ／ じゃ いきましょう

③ あした うちに きませんか ／ ありがとう ございます ／ じゃ さんじに きてください

練習2 断るときは、ゆっくり、弱く「〜は、ちょっと…。」と言いましょう。
◎A-72

① いっしょに カラオケに いきませんか ／ カラオケは ちょっと… ／ そうですか

② きんようび いっしょに テニスを しませんか ／ きんようびは ちょっと…

3．友達に会いますから

練習1 「テニスをしませんか。」のように誘うときは、ヤマ1つです。
A-71 「いっしょに‖テニスをしませんか。」は、ヤマ2つです。
① a: いっしょにビールを飲みませんか。　b: ええ、いいですね。
　 a: じゃ、行きましょう。
② a: いっしょに映画を見ませんか。　b: ええ、いいですね。
　 a: じゃ、行きましょう。
③ a: 明日うちに来ませんか。　b: ありがとうございます。
　 a: じゃ、3時に来てください。

練習2 断るときは、ゆっくり、弱く「～は、ちょっと…。」と言いましょう。
A-72
① a: いっしょにカラオケに行きませんか。　b: カラオケはちょっと…。
　 a: そうですか。
② a: 金曜日いっしょにテニスをしませんか。
　 b: 金曜日はちょっと…。

練習1
A-71
① a: いっしょにビールをのみませんか。　b: ええ、いいですね。
　 a: じゃ、いきましょう。
② a: いっしょにえいがをみませんか。　b: ええ、いいですね。
　 a: じゃ、いきましょう。
③ a: あしたうちにきませんか。　b: ありがとうございます。
　 a: じゃ、さんじにきてください。

練習2
A-72
① a: いっしょにカラオケにいきませんか。　b: カラオケはちょっと…。
　 a: そうですか。
② a: きんようびいっしょにテニスをしませんか。
　 b: きんようびはちょっと…。

練習0　①1　②2　③2　④2　⑤2　⑥2　⑦2　⑧2　⑨3　⑩2

3-6　時間(1)「2時半」

練習0　A-73

「さんがつ」は数字「3」で下がります。「さんかげつ」は数字で下がりません。①～⑩は、数字で下がります(○)か、下がりません(×)か。

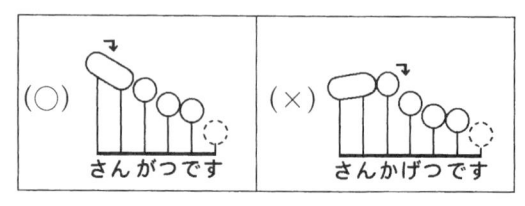

① (　　) ② (　　) ③ (　　) ④ (　　) ⑤ (　　)
⑥ (　　) ⑦ (　　) ⑧ (　　) ⑨ (　　) ⑩ (　　)

練習1　A-74

「～時」「～分」のアクセントは、「～」が何でも「～﹁じ」「～﹁ふん」です。

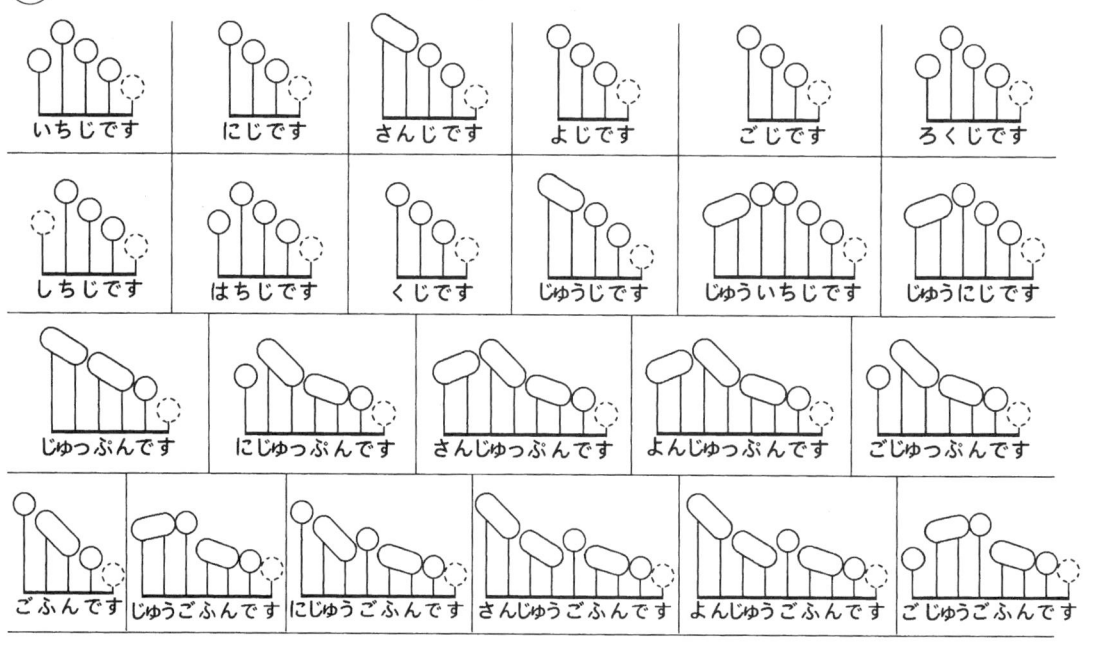

いちじです　にじです　さんじです　よじです　ごじです　ろくじです
しちじです　はちじです　くじです　じゅうじです　じゅういちじです　じゅうにじです
じゅっぷんです　にじゅっぷんです　さんじゅっぷんです　よんじゅっぷんです　ごじゅっぷんです
ごふんです　じゅうごふんです　にじゅうごふんです　さんじゅうごふんです　よんじゅうごふんです　ごじゅうごふんです

練習2　A-75

「～時～分」は、ヤマ2つで「～時∥～分」です。「～時半」はヤマ1つで、アクセントは、「～」が何でも「～時は﹁ん」です。

① じゅぎょうは　なんじからですか　いちじ　じゅっぷんからです
② いま　なんじですか　にじはんです

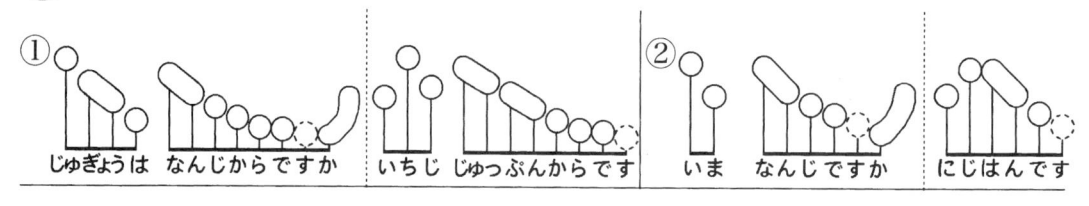

3．友達に会いますから

練習1 　A-74

「〜時」「〜分」のアクセントは、「〜」が何でも「〜￣じ」「〜￣ふん」です。

いちじ 1時です。	にじ 2時です。	さんじ 3時です。	よじ 4時です。	ごじ 5時です。	ろくじ 6時です。
しちじ 7時です。	はちじ 8時です。	くじ 9時です。	じゅうじ 10時です。	じゅういちじ 11時です。	じゅうにじ 12時です。
じゅっぷん 10分です。	にじゅっぷん 20分です。	さんじゅっぷん 30分です。	よんじゅっぷん 40分です。	ごじゅっぷん 50分です。	
ごふん 5分です。	じゅうごふん 15分です。	にじゅうごふん 25分です。	さんじゅうごふん 35分です。	よんじゅうごふん 45分です。	ごじゅうごふん 55分です。

練習2 　A-75

「〜時〜分」は、ヤマ２つで「〜￣時∥〜￣分」です。「〜時半」はヤマ１つで、アクセントは、「〜」が何でも「〜￣時ばん」です。

① a: 授業は何時からですか。　　b: 1時10分からです。
② a: 今、何時ですか。　　b: 2時半です。

練習1　A-74

いちﾞじです。　　　にﾞじです。　　　さﾞんじです。
よﾞじです。　　　ごﾞじです。　　　ろﾞくじです。
しちﾞじです。　　　はちﾞじです。　　　くﾞじです。
じゅﾞうじです。　　じゅういちﾞじです。　じゅうにﾞじです。
じゅﾞっぷんです。　にじゅﾞっぷんです。　さんじゅﾞっぷんです。
よんじゅﾞっぷんです。　ごじゅﾞっぷんです。
ごﾞふんです。　　　じゅうごﾞふんです。　にじゅうごﾞふんです。
さんじゅうごﾞふんです。よんじゅうごﾞふんです。ごじゅうごﾞふんです。

練習2　A-75

① a: じゅﾞぎょうはなﾞんじからですか。
　　b: いちﾞじじゅﾞっぷんからです。
② a: いﾞま、なﾞんじですか。　　b: にﾞじばんです。

練習0　①×　②×　③○　④○　⑤○　⑥×　⑦○　⑧○　⑨○　⑩○

3-7 ン(1)「しませんか」

練習0 (A)⬡⬡⬡⬡　　　(B)⬡⬡⬡⬡⬡
A-76
「こうりゅうセンターです。」の ▓▓ は(A)です。
「じょうじょうきぎょうです。」の ▓▓ は(B)です。
①〜⑧は、(A)ですか、(B)ですか。
①(　　)　②(　　)　③(　　)　④(　　)
⑤(　　)　⑥(　　)　⑦(　　)　⑧(　　)

練習1　(　　)のことばは、a b c d e のどれですか。
A-77
A
①(　　)ですか。(　　)です。・　　・a ⬡⬡
②(　　)ですか。(　　)です。・　　・b ○○○
③(　　)ですか。(　　)です。・　　・c ⬡⬡
④(　　)ですか。(　　)です。・　　・d ⬡⬡
　　　　　　　　　　　　　　　　　・e ○⬡⬡

B
①(　　)ですか。(　　)です。・　　・a ⬡○
②(　　)ですか。(　　)です。・　　・b ○○⬡○
③(　　)ですか。(　　)です。・　　・c ○○○
④(　　)ですか。(　　)です。・　　・d ○○○○○
　　　　　　　　　　　　　　　　　・e ⬡○

練習2　練習しましょう。
A-78
①(⬡○⬡　⬡○⬡　⬡○⬡○) ○○○○○
　さんねんで　ホンコンと　ロンドンに　いきました。
②(⬡○○　⬡○○　⬡○○) ○○○○
　みんなで　キャンプの　じゅんびを　しました。
③(⬡○⬡○　○⬡○　⬡○○)
　しゅじんの　ごはんの　じかんです。
④(⬡○○○　⬡○○○　⬡○○○○)
　かんこくの　おんがくの　ばんぐみです。
⑤(○○⬡○　○○○○　○○⬡○　○○⬡○)
　あべさんの　おこさんも　としょかんに　いませんか。
⑥(⬡○○○　⬡○○　⬡○○○) ○○○○○
　かんたんな　せんもんの　ろんぶんが　わかります。

3. 友達に会いますから

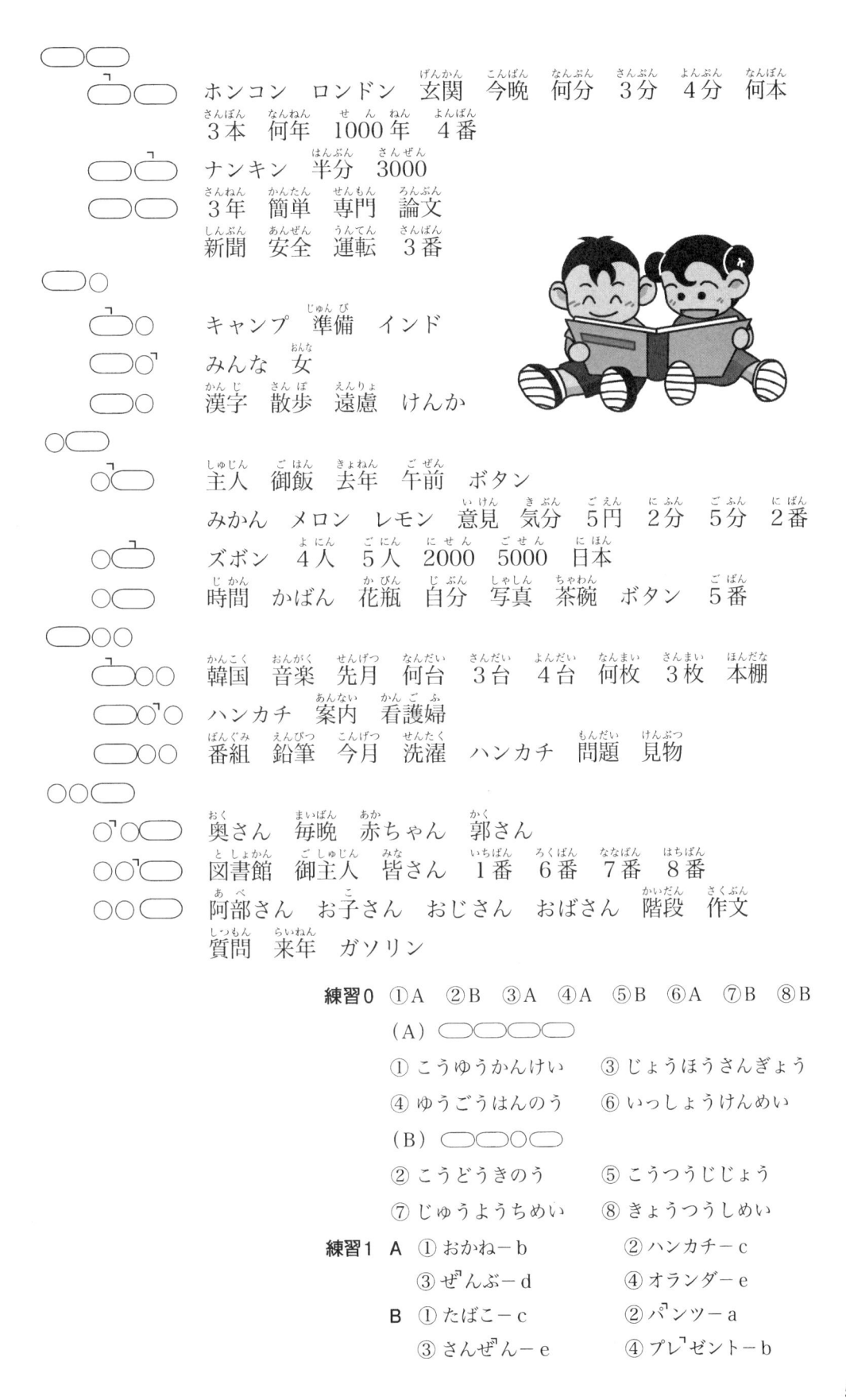

◯◯ホンコン ロンドン 玄関(げんかん) 今晩(こんばん) 何分(なんぷん) 3分(さんぷん) 4分(よんぷん) 何本(なんぼん)
3本(さんぼん) 何年(なんねん) 1000年(せんねん) 4番(よんばん)

◯◯ナンキン 半分(はんぶん) 3000

◯◯3年(さんねん) 簡単(かんたん) 専門(せんもん) 論文(ろんぶん)
新聞(しんぶん) 安全(あんぜん) 運転(うんてん) 3番(さんばん)

◯◯キャンプ 準備(じゅんび) インド

◯◯みんな 女(おんな)

◯◯漢字(かんじ) 散歩(さんぽ) 遠慮(えんりょ) けんか

◯`◯主人(しゅじん) 御飯(ごはん) 去年(きょねん) 午前(ごぜん) ボタン
みかん メロン レモン 意見(いけん) 気分(きぶん) 5円(ごえん) 2分(にふん) 5分(ごふん) 2番(にばん)

◯`◯ズボン 4人(よにん) 5人(ごにん) 2000(にせん) 5000(ごせん) 日本(にほん)
時間(じかん) かばん 花瓶(かびん) 自分(じぶん) 写真(しゃしん) 茶碗(ちゃわん) ボタン 5番(ごばん)

◯◯◯韓国(かんこく) 音楽(おんがく) 先月(せんげつ) 何台(なんだい) 3台(さんだい) 4台(よんだい) 何枚(なんまい) 3枚(さんまい) 本棚(ほんだな)

◯`◯◯ハンカチ 案内(あんない) 看護婦(かんごふ)

◯`◯◯番組(ばんぐみ) 鉛筆(えんぴつ) 今月(こんげつ) 洗濯(せんたく) ハンカチ 問題(もんだい) 見物(けんぶつ)

◯◯`◯奥(おく)さん 毎晩(まいばん) 赤(あか)ちゃん 郭(かく)さん

◯◯`◯図書館(としょかん) 御主人(ごしゅじん) 皆(みな)さん 1番(いちばん) 6番(ろくばん) 7番(ななばん) 8番(はちばん)

◯◯◯`阿部(あべ)さん お子(こ)さん おじさん おばさん 階段(かいだん) 作文(さくぶん)
質問(しつもん) 来年(らいねん) ガソリン

練習0 ①A ②B ③A ④A ⑤B ⑥A ⑦B ⑧B

(A) ◯◯◯◯
① こうゆうかんけい   ③ じょうほうさんぎょう
④ ゆうごうはんのう   ⑥ いっしょうけんめい

(B) ◯◯◯◯
② こうどうきのう   ⑤ こうつうじじょう
⑦ じゅうようちめい   ⑧ きょうつうしめい

練習1 A ① おかね－b   ② ハンカチ－c
　　　　　　③ ぜんぶ－d   ④ オランダ－e
　　　　　B ① たばこ－c   ② パンツ－a
　　　　　　③ さんぜん－e   ④ プレゼント－b

4 恋人じゃありません。

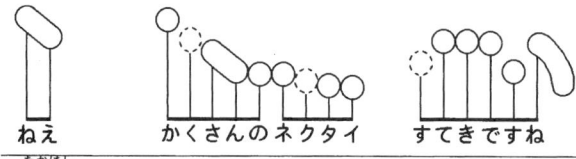

ねえ
(高橋)

かくさんのネクタイ

すてきですね

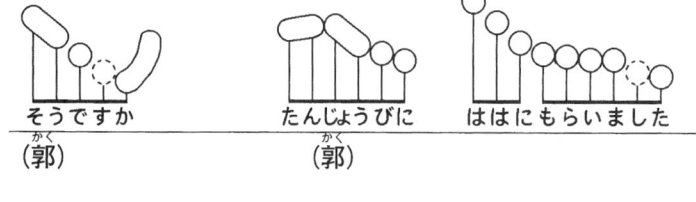

そうですか
(郭)

たんじょうびに
(郭)

ははにもらいました

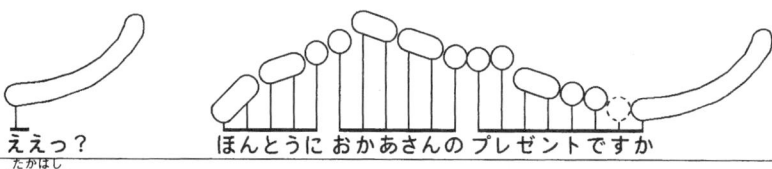

ええっ?
(高橋)

ほんとうに おかあさんの プレゼントですか

会社が終わって、みんなで宴会をしています。

ここに注意!

・「郭さんのネクタイ」「お母さんのプレゼント」などの名詞修飾のヤマ
・「恋人じゃありません。」などの否定文のヤマ
・「飲みます?」などの「か」のない質問文
・「一杯」「いっぱい」などのアクセントの区別

4. 恋人じゃありません。

ほんとうですよ
(郭)

こいびとじゃ ありませんよ
(郭)

かくさん かくさん
(中村)

もう いっぱい のみます？
(中村)

あ すいません もう いっぱい
(郭)

あ さとうさんも
(中村)

もう いっぱい のみます？

あ すいません
(佐藤)

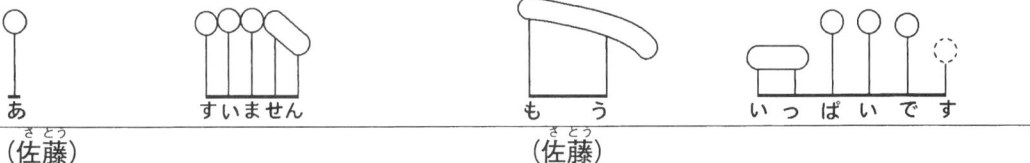

もう いっぱいです
(佐藤)

A-79

高橋：ねえ、郭さんのネクタイ、すてきですね。
郭　：そうですか。　誕生日に母にもらいました。
高橋：ええっ？　ほんとうにお母さんのプレゼントですか。
郭　：ほんとうですよ。　恋人じゃありませんよ。
中村：郭さん、郭さん。　もう1杯、飲みます？
郭　：あ、すいません。　もう1杯。
中村：あ、佐藤さんも、もう1杯、飲みます？
佐藤：あ、すいません。　もう、いっぱいです。

4-1 長い文(2)「郭さんのネクタイ」

練習0 ①〜⑩は、ヤマいくつ(1、2、3…)ですか。
A-80
①(　) ②(　) ③(　) ④(　) ⑤(　)
⑥(　) ⑦(　) ⑧(　) ⑨(　) ⑩(　)

練習1 「すてきな」+「人」→「すてきな人」、「中国の」+「人」→「中国の人」
A-81 でヤマ1つです。「中国へ」+「行きます」→「中国へ行きます」
と同じです。ただし、紹介の「中国の郭さんです」などの「(国の名前)の(人の名前)」はヤマ2つです。

a　すてきな ひとです
b　ちゅうごくの ひとです
c　ちゅうごくへ いきます
d　ちゅうごくの かくさんです

① どんなネクタイですか / あおいネクタイです / おおきいネクタイです / きれいなネクタイです
② だれのネクタイですか / やまださんの ネクタイです / かくさんの ネクタイです

練習2 ①〜③は、どんなヤマですか。
A-82
① ケンさんは有名な人です。
② a: どこへ行きますか。　　b: 日本語の学校へ行きます。
③ a: これは山田さんのボールペンですか。　b: いいえ、それは佐藤さんのボールペンです。

① ケンさんは ゆうめいな ひとです
② どこへ いきますか / にほんごの がっこうへ いきます
③ これは やまださんの ボールペンですか / いいえ それは さとうさんの ボールペンです

4．恋人じゃありません。

練習1
A-81
「すてきな」+「人」→「すてきな人」、「中国の」+「人」→「中国の人」でヤマ1つです。「中国へ」+「行きます」→「中国へ行きます」と同じです。ただし、紹介の「中国の郭さんです」などの「(国の名前)の(人の名前)」はヤマ2つです。

(a)すてきな人です。　(b)中国の人です。　(c)中国へ行きます。
(d)中国の郭さんです。

① a: どんなネクタイですか。
　 b: 青いネクタイです。／大きいネクタイです。／きれいなネクタイです。
② a: だれのネクタイですか。
　 b: 山田さんのネクタイです。／郭さんのネクタイです。

練習2
A-82
①～③は、どんなヤマですか。
① ケンさんは有名な人です。
② a: どこへ行きますか。　b: 日本語の学校へ行きます。
③ a: これは山田さんのボールペンですか。
　 b: いいえ、それは佐藤さんのボールペンです。

練習1
A-81
(a)すてきなひとです。　(b)ちゅうごくのひとです。
(c)ちゅうごくへいきます。
(d)ちゅうごくのがくさんです。
① a: どんなネクタイですか。
　 b: あおいネクタイです。／おおきいネクタイです。／きれいなネクタイです。
② a: だれのネクタイですか。
　 b: やまださんのネクタイです。／がくさんのネクタイです。

練習2
A-82
① ケンさんはゆうめいなひとです。
② a: どこへいきますか。　b: にほんごのがっこうへいきます。
③ a: これはやまださんのボールペンですか。
　 b: いいえ、それはさとうさんのボールペンです。

練習0　①2　②1　③1　④1　⑤1　⑥1　⑦1　⑧2　⑨2　⑩1

4-2 否定文「恋人じゃありません。」

練習0 ①~⑩は、ヤマいくつ(1、2、3…)ですか。
A-83
①(　) ②(　) ③(　) ④(　) ⑤(　)
⑥(　) ⑦(　) ⑧(　) ⑨(　) ⑩(　)

練習1 「ありません」「ないです」などの文は、「~ません」「~ない」に
A-84 ヤマができます。しかし、動詞の「行かない」の「な」だけ強い言い方は、だめです(d)。

a しずかじゃ ありません
b たかくないです
c いかないでください
d いかないでください

① たかはしさんは きませんでした
② やまださんじゃ ありません
③ このじしょは よくないです
④ くろい ようふくは すきじゃ ありません
⑤ ハンさんのへやは きれいじゃ ありませんでした

練習2 ①~③は、どんなヤマですか。
A-85
① a: きのうのテレビはおもしろかったですか。
　 b: いえ、おもしろくなかったです。／はい、おもしろかったです。
② a: 古いですか。b: いえ、古くないです。
③ a: 高かったですか。　b: いえ、高くなかったです。

① きのうの テレビは おもしろかったですか／いえ おもしろくなかったです／はい おもしろかったです
② ふるいですか／いえ ふるくないです
③ たかかったですか／いえ たかくなかったです

4. 恋人じゃありません。

練習1 A-84

「ありません」「ないです」などの文は、「～ません」「～ない」にヤマができます。しかし、動詞の「行かない」の「な」だけ強い言い方は、だめです(d)。
(a)静かじゃありません。　(b)高くないです。　(c)行かないでください。
① 高橋さんは来ませんでした。　② 山田さんじゃありません。
③ この辞書はよくないです。
④ 黒い洋服は好きじゃありません。
⑤ ハンさんの部屋はきれいじゃありませんでした。

練習2 A-85

①～③は、どんなヤマですか。
① a: きのうのテレビはおもしろかったですか。
　b: いえ、おもしろくなかったです。／はい、おもしろかったです。
② a: 古いですか。　　b: いえ、古くないです。
③ a: 高かったですか。　　b: いえ、高くなかったです。

練習1 A-84

(a)し￣ずかじゃありませ￣ん。(b)たか￣くな￣いです。(c)いかな￣いでくださ￣い。
① たか￣はしさんはきませ￣んでした。　② やまだ￣さんじゃありませ￣ん。
③ このじ￣しょはよ￣くな￣いです。
④ くろ￣いようふくはすき￣じゃありませ￣ん。
⑤ ハ￣ンさんのへや￣はき￣れいじゃありませ￣んでした。

練習2 A-85

① a: きのうのテ￣レビはおもしろ￣かったですか。
　b: いえ、おもしろ￣くな￣かったです。／は￣い、おもしろ￣かったです。
② a: ふる￣いですか。　　b: いえ、ふる￣くな￣いです。
③ a: たか￣かったですか。　　b: いえ、たか￣くな￣かったです。

練習0　①2　②2　③2　④2　⑤3　⑥2　⑦2　⑧3　⑨3　⑩2

4-3 アクセント(1)「甘い」「辛い」

練習0 ①〜⑩の形容詞は、下がります(○)か、下がりません(×)か。
A-86
①(　　) ②(　　) ③(　　) ④(　　) ⑤(　　)
⑥(　　) ⑦(　　) ⑧(　　) ⑨(　　) ⑩(　　)

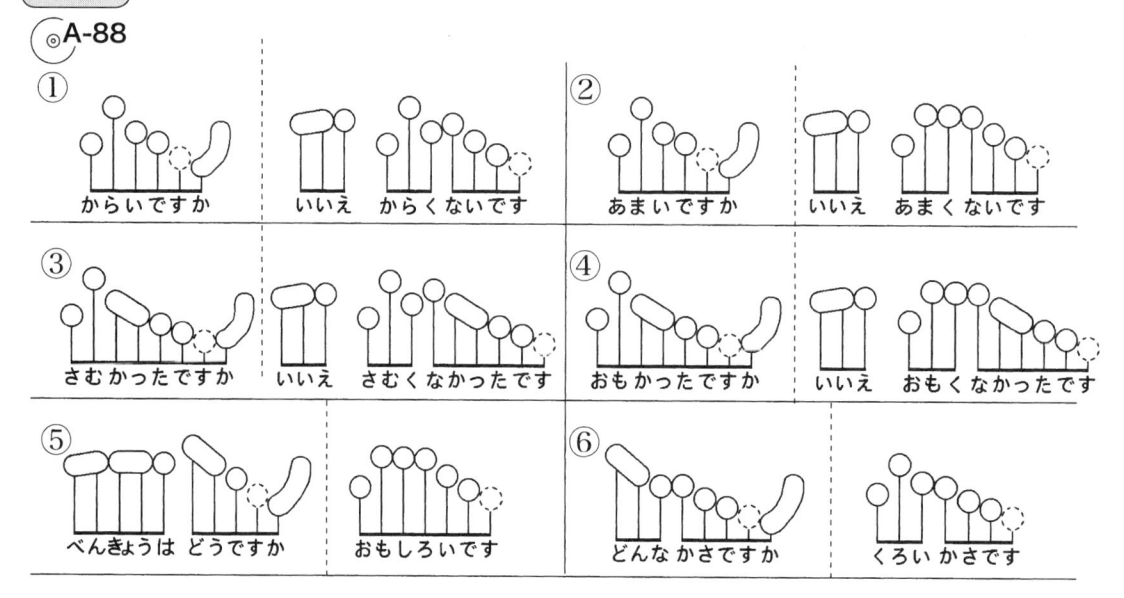

練習1 い形容詞は、(A)(B) 2つのパターンがあります。
A-87
(A)のアクセントは「〜●˺い」「〜●˺く」「〜●˺かった」です。
(B)のアクセントはいろいろです。

A　あお˺い　から˺い　さむ˺い　うるさ˺い　おもしろ˺い
B　あかい　あまい　おもい　つめたい　むずかしい

A	あおいネクタイです	あおいです	あおくないです	あおかったです	あおくなかったです
B	あかいネクタイです	あかいです	あかくないです	あかかったです	あかくなかったです

(A)「あお˺く」「あお˺かった」を「あ˺おく」「あ˺おかった」と言う人もいます。

練習2 練習しましょう。
A-88

① からいですか ／ いいえ　からくないです
② あまいですか ／ いいえ　あまくないです
③ さむかったですか ／ いいえ　さむくなかったです
④ おもかったですか ／ いいえ　おもくなかったです
⑤ べんきょうは　どうですか ／ おもしろいです
⑥ どんな　かさですか ／ くろい　かさです

練習1
A-87

い形容詞は、(A)(B) 2つのパターンがあります。
(A)のアクセントは「〜●'い」「〜●'く」「〜●'かった」です。
(B)のアクセントはいろいろです。

A 青い　　辛い　　寒い　　うるさい　　おもしろい
B 赤い　　甘い　　重い　　冷たい　　　難しい
A 青いネクタイです。青いです。青くないです。青かったです。青くなかったです。
B 赤いネクタイです。赤いです。赤くないです。赤かったです。赤くなかったです。

練習2
A-88

練習しましょう。
① a: 辛いですか。　　b: いいえ、辛くないです。
② a: 甘いですか。　　b: いいえ、甘くないです。
③ a: 寒かったですか。　　b: いいえ、寒くなかったです。
④ a: 重かったですか。　　b: いいえ、重くなかったです。
⑤ a: 勉強はどうですか。　　b: おもしろいです。
⑥ a: どんなかさですか。　　b: 黒いかさです。

練習1
A-87

A あお'い　　から'い　　さむ'い　　うるさ'い　　おもしろ'い
B あかい　　あまい　　おもい　　つめたい　　　むずかしい
A あお'いネ'クタイで'す　　あお'いです　　あお'くないです
　あお'かったです　　あお'くな'かったです
B あかいネ'クタイです　　あか'いです　　あかくな'いです
　あが'かったです　　あかくな'かったです

練習2
A-88

① a: から'いですか。　　　　　b: いいえ、から'くな'いです。
② a: あま'いですか。　　　　　b: いいえ、あまくな'いです。
③ a: さむ'かったですか。　　　b: いいえ、さむ'くな'かったです。
④ a: おも'かったですか。　　　b: いいえ、おもくな'かったです。
⑤ a: べんきょうはど'うですか。　b: おもしろ'いです。
⑥ a: ど'んなか'さですか。　　　b: くろ'いか'さです。

練習0　①○　②×　③○　④×　⑤○　⑥×　⑦○　⑧×　⑨○　⑩×

4-4 質問文(5)「飲みます?」

練習0 ①~⑩の文の最後は、上がります(○)か、上がりません(×)か。
A-89
①(　　) ②(　　) ③(　　) ④(　　) ⑤(　　)
⑥(　　) ⑦(　　) ⑧(　　) ⑨(　　) ⑩(　　)

練習1 「~ますか。」「~ましたか。」は、「か」がなくても、最後の音だ
A-90　けを上げると質問になります。

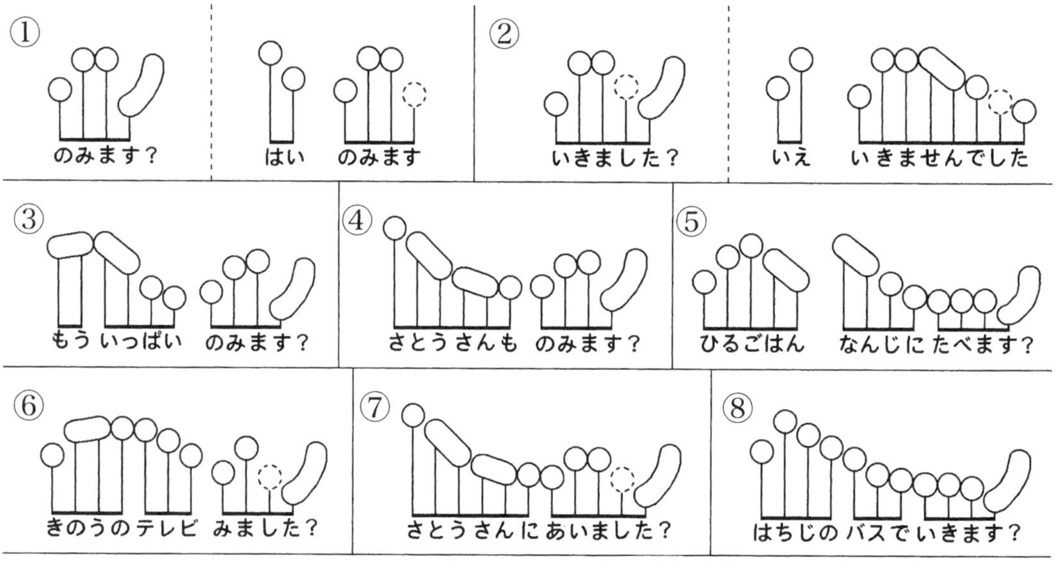

① のみます? / はい のみます
② いきました? / いえ いきませんでした
③ もう いっぱい のみます?
④ さとうさんも のみます?
⑤ ひるごはん なんじに たべます?
⑥ きのうの テレビ みました?
⑦ さとうさんに あいました?
⑧ はちじの バスで いきます?

練習2 質問のとき、文の最後を上げすぎると、信じていなかったり、不
A-91　満があったり、怒っているように聞こえます。気をつけましょう。

① これも しゅくだいですか
② ええっ? ほんとうに おかあさんの プレゼントですか
③ たべます? / ええ たべます / ええっ? ほんとうに たべます?

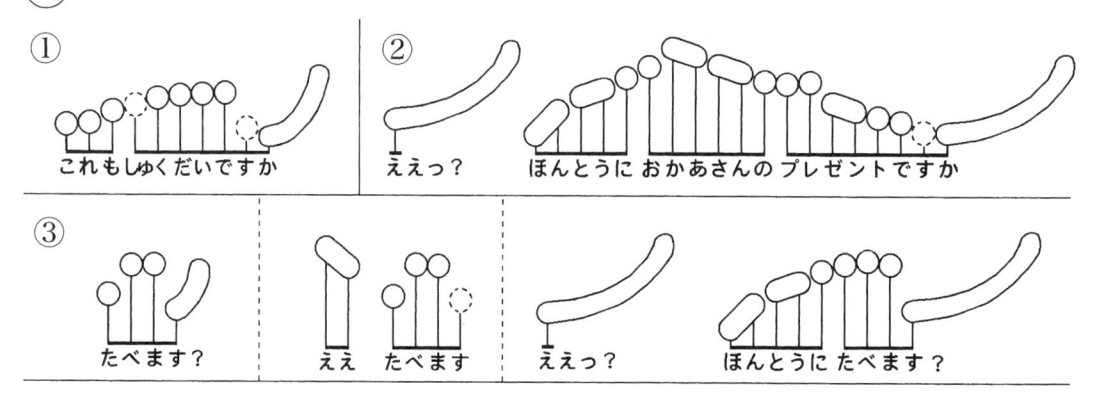

4．恋人じゃありません。

練習1 A-90

「～ますか。」「～ましたか。」は、「か」がなくても、最後の音だけを上げると質問になります。

① a: 飲みます？　　　b: はい、飲みます。
② a: 行きました？　　b: いえ、行きませんでした。
③ もう1杯、飲みます？　　④ 佐藤さんも飲みます？
⑤ 昼ご飯、何時に食べます？　⑥ きのうのテレビ、見ました？
⑦ 佐藤さんに会いました？　⑧ 8時のバスで行きます？

練習2 A-91

質問のとき、文の最後を上げすぎると、信じていなかったり、不満があったり、怒っているように聞こえます。気をつけましょう。

① これも宿題ですか。
② ええっ？　本当にお母さんのプレゼントですか。
③ a: 食べます？　b: ええ、食べます。　a: ええっ？　本当に食べます？

練習1 A-90

① a: のみま￢す？　　　b: は￢い、のみま￢す。
② a: いきま￢した？　　b: いえ、いきませんでした。
③ もうい￢っぱい、のみま￢す？　　④ さ￢とうさんものみま￢す？
⑤ ひるご￢はん、な￢んじにたべま￢す？　⑥ きのうのテレビみま￢した？
⑦ さ￢とうさんにあいま￢した？　⑧ はち￢じのバスでいきま￢す？

練習2 A-91

① これもしゅくだいですか。
② ええっ？　ほんとうにおか￢あさんのプレゼントで￢すか。
③ a: たべま￢す？　　　b: え￢え、たべま￢す。
　　a: ええっ？　ほんとうにたべま￢す？

練習0　①×　②○　③○　④○　⑤×　⑥○　⑦×　⑧○　⑨○　⑩×

4-5　助数詞「1杯」

練習0　◎A-92

「さんじ」は数字「3」で下がります。「さんかげつ」は数字で下がりません。①〜⑩は、数字で下がります(○)か、下がりません(×)か。

① (　　)　② (　　)　③ (　　)　④ (　　)　⑤ (　　)
⑥ (　　)　⑦ (　　)　⑧ (　　)　⑨ (　　)　⑩ (　　)

練習1　◎A-93

「冊」「匹」は、1、6、8、10は、「〜さつです」「〜ぴきです」です。2、3、4、5、7、9は、「〜さつです」「〜ひき(びき)です」です。

| なんさつありますか | いっさつです | にさつです | さんさつです | よんさつです |
| ごさつです | ろくさつです | ななさつです | はっさつです | きゅうさつです | じゅっさつです |

練習2　◎A-94

「杯」「台」「枚」「本」は、「〜はい」「〜だい」「〜まい」「〜ほん」です。ただし、「5枚」「5本」「5台」は、下がりません。

① いっぱいですか／にはいおねがいします
② なんだいありますか／ごだいあります
③ なんぼんのみましたか／ななほんのみました
④ ぜんぶでごほんですね／いえ　ろっぽんです
⑤ よんまいですね／いえ　ごまいください
⑥ なんまいたべましたか／さんまいたべました

4．恋人じゃありません。

練習1 A-93

「冊」「匹」は、1、6、8、10 は、「〜さつ ̄です」「〜ぴき ̄です」です。
2、3、4、5、7、9 は、「〜 ̄さつです」「〜 ̄ひき(びき)です」です。

a: 何冊ありますか。
b: 1冊です。 2冊です。 3冊です。 4冊です。
 5冊です。 6冊です。 7冊です。 8冊です。 9冊です。 10冊です。

練習2 A-94

「杯」「台」「枚」「本」は、「〜 ̄はい」「〜 ̄だい」「〜 ̄まい」「〜 ̄ほん」です。ただし、「5枚」「5本」「5台」は、下がりません。

① a: 1杯ですか。　　　　　b: 2杯お願いします。
② a: 何台ありますか。　　　b: 5台あります。
③ a: 何本飲みましたか。　　b: 7本飲みました。
④ a: 全部で5本ですね。　　b: いえ、6本です。
⑤ a: 4枚ですね。　　　　　b: いえ、5枚ください。
⑥ a: 何枚食べましたか。　　b: 3枚食べました。

練習1 A-93

a: なんさつありま ̄すか。
b: いっさつで ̄す。　に ̄さつで ̄す。　さんさつで ̄す。　よんさつで ̄す。
　ご ̄さつで ̄す。　ろくさつで ̄す。　なな ̄さつで ̄す。　はっさつで ̄す。
　きゅ ̄うさつで ̄す。　じゅっさつで ̄す。

練習2 A-94

① a: い ̄っぱいで ̄すか。　　　b: に ̄はいおねがいしま ̄す。
② a: な ̄んだいありま ̄すか。　b: ごだいありま ̄す。
③ a: な ̄んぼんのみま ̄したか。b: なな ̄ほんのみま ̄した。
④ a: ぜ ̄んぶでごほんで ̄すね。b: いえ、ろ ̄っぽんで ̄す。
⑤ a: よ ̄んまいで ̄すね。　　　b: いえ、ごまいくださ ̄い。
⑥ a: な ̄んまいたべま ̄したか。b: さ ̄んまいたべま ̄した。

練習0　①○　②○　③○　④○　⑤○　⑥×　⑦×　⑧×　⑨×　⑩○

4-6 アクセント(2)「もういっぱい」

練習0 ①～⑩のアクセントは、同じです(○)か、ちがいます(×)か。
A-95　①(　)　②(　)　③(　)　④(　)　⑤(　)
　　　⑥(　)　⑦(　)　⑧(　)　⑨(　)　⑩(　)

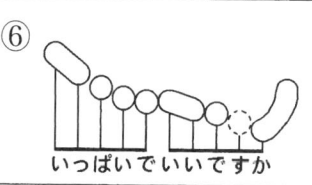

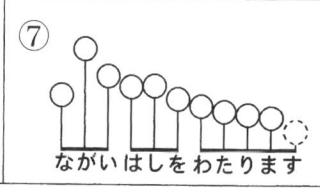

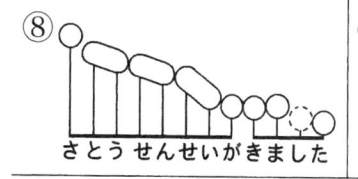

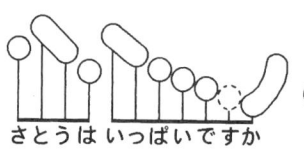

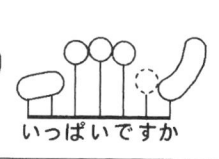

練習1 アクセントがちがうと、ことばの意味がちがうことがあります。
A-96

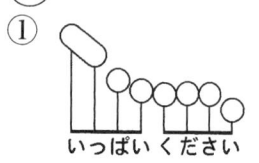

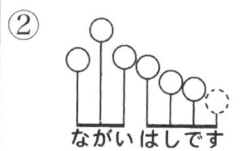

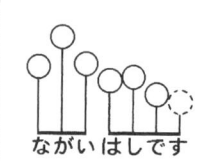

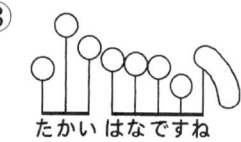

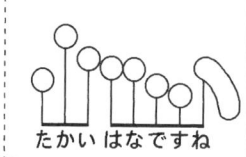

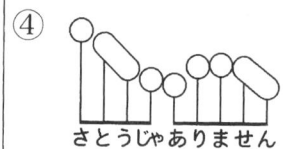

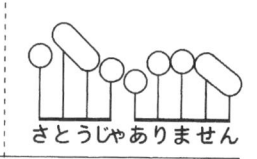

① いっぱい ください ／ いっぱい ください
② ながい はしです ／ ながい はしです
③ たかい はなですね ／ たかい はなですね
④ さとうじゃありません ／ さとうじゃありません

練習2 ①～⑨は、どんなアクセントですか。
A-97
① 砂糖はありますか。　② 鼻が痛いです。　③ おなかがいっぱいです。
④ 花をもらいました。　⑤ 長い箸で食べました。　⑥ 1杯でいいですか。
⑦ 長い橋をわたります。　⑧ 佐藤先生が来ました。
⑨ 佐藤さん、砂糖は1杯ですか。いっぱいですか。

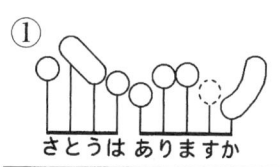

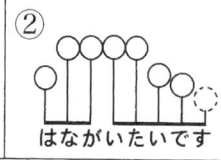

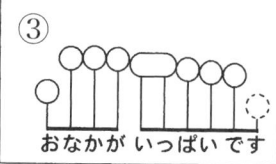

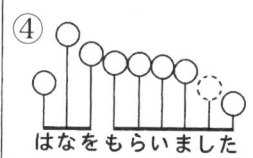

① さとうは ありますか
② はながいたいです
③ おなかが いっぱい です
④ はなをもらいました
⑤ ながいはしで たべました
⑥ いっぱいでいいですか
⑦ ながいはしをわたります
⑧ さとう せんせいがきました
⑨ さとうさん　さとうは いっぱいですか　いっぱいですか

4. 恋人じゃありません。

練習1 アクセントがちがうと、ことばの意味がちがうことがあります。
A-96
① 1杯ください。　　　　　いっぱいください。
② 長い箸です。　　　　　長い橋です。
③ 高い鼻ですね。　　　　高い花ですね。
④ 佐藤じゃありません。　砂糖じゃありません。

練習2 ①〜⑨は、どんなアクセントですか。
A-97
① 砂糖はありますか。　　② 鼻が痛いです。
③ おなかがいっぱいです。④ 花をもらいました。
⑤ 長い箸で食べました。　⑥ 1杯でいいですか。
⑦ 長い橋をわたります。　⑧ 佐藤先生が来ました。
⑨ 佐藤さん、砂糖は1杯ですか。いっぱいですか。

練習1
A-96
① い｢っぱいくださ｣い。　　　いっぱいくださ｣い。
② なが｢いば｣しです。　　　　なが｢いはし｣です。
③ たか｢いはなですね。　　　たか｢いはな｣ですね。
④ ざ｢とうじゃありませ｣ん。　さと｢うじゃありませ｣ん。

練習2
A-97
① さと｢うはありますか。　　② はながいた｣いです。
③ おなかがいっぱいです。　④ はな｣をもらいました。
⑤ なが｢いば｣しでたべました。⑥ い｢っぱいでい｣いですか。
⑦ なが｢いはし｣をわたります。⑧ ざ｢とうせんせ｣いがきました。
⑨ ざ｢とうさん、さと｢うはい｣っぱいですか。いっぱいですか。

練習0　①×　②○　③○　④×　⑤○　⑥×　⑦×　⑧○　⑨×　⑩○

4-7 ン(2)「ありませんよ」

練習0 (A)⬭⬭⬭⬭　　(B)⬭⬭⬭◯

B-1 「こうとうれんしゅうです。」の ▬▬ は(A)です。
「りゅうきゅうぶようです。」の ▬▬ は(B)です。
①～⑧は、(A)ですか、(B)ですか。
①(　) ②(　) ③(　) ④(　)
⑤(　) ⑥(　) ⑦(　) ⑧(　)

練習1 (　)のことばは、a b c d e のどれですか。

B-2 **A**
①(　)ですか。(　)です。・　　・a ⬭◯
②(　)ですか。(　)です。・　　・b ◯◯◯
③(　)ですか。(　)です。・　　・c ⬭◯
④(　)ですか。(　)です。・　　・d ⬭
　　　　　　　　　　　　　　　・e ⬭◯◯

B
①(　)ですか。(　)です。・　　・a ◯◯◯◯◯
②(　)ですか。(　)です。・　　・b ◯◯⬭
③(　)ですか。(　)です。・　　・c ⬭◯◯
④(　)ですか。(　)です。・　　・d ⬭◯◯
　　　　　　　　　　　　　　　・e ◯⬭◯◯

練習2 練習しましょう。

B-3
①(⬭◯◯　⬭◯◯　⬭◯あ)◯◯◯◯
　でんわで　インドの　てんきを　ききます。
②(⬭◯◯　⬭◯◯　⬭◯◯)◯◯◯◯
　こんやは　でんしゃで　ほんやへ　いきます。
③(⬭◯◯◯　⬭◯◯　⬭◯◯◯)◯◯◯◯◯
　マンションの　げんかんは　きんえんに　なりました。
④(⬭◯◯◯　⬭◯◯◯　⬭◯◯◯)◯◯◯◯◯◯
　こんやから　さんかげつ　でんきやで　はたらきます。
⑤(⬭◯◯◯◯◯　⬭◯◯◯◯◯　⬭◯◯◯◯◯)
　しんかんせんなら　さんぜんえんから　よんせんえんです。
⑥(⬭◯◯◯　⬭◯◯　⬭◯◯)◯◯◯◯
　ロンさんは　さんねんも　きんえんを　しました。

4. 恋人じゃありません。

○○
　○○○　インド　天気
　　　今夜　電車　本屋
　○○○　電話　電車
○○○○
　　○○○　玄関
　　○○○　マンション　ロンさん　タンさん
　　○○○　3年
　　○○○　禁煙　1000円　店員　安心　温泉　原因
○○○○○
　○○○○○　3か月　4か月　何か月　女の子
○○○○
　○○○○　電気屋
○○○○○
　　○○○○○　新幹線
○○○○○○　3000円　4000円

練習0　①A　②A　③B　④B　⑤A　⑥B　⑦B　⑧A
　　　（A）○○○○
　　　①ちょうじょうげんしょう　　②がっこううんえい
　　　⑤とうきょうみんよう　　　　⑧しょうぎょうきんゆう
　　　（B）○○○○
　　　③おうしゅうしよう　　　　　④かんぜんこよう
　　　⑥しんしんきえい　　　　　　⑦こうきゅういしょう
練習1　A　①せきゆ－b　　　　②てんいん－a
　　　　　③こんや－d　　　　④しゃしん－c
　　　B　①ミルクあめ－a　　②かんいり－d
　　　　　③ふるほんや－c　　④みかんあめ－e

71

5　たこやき？

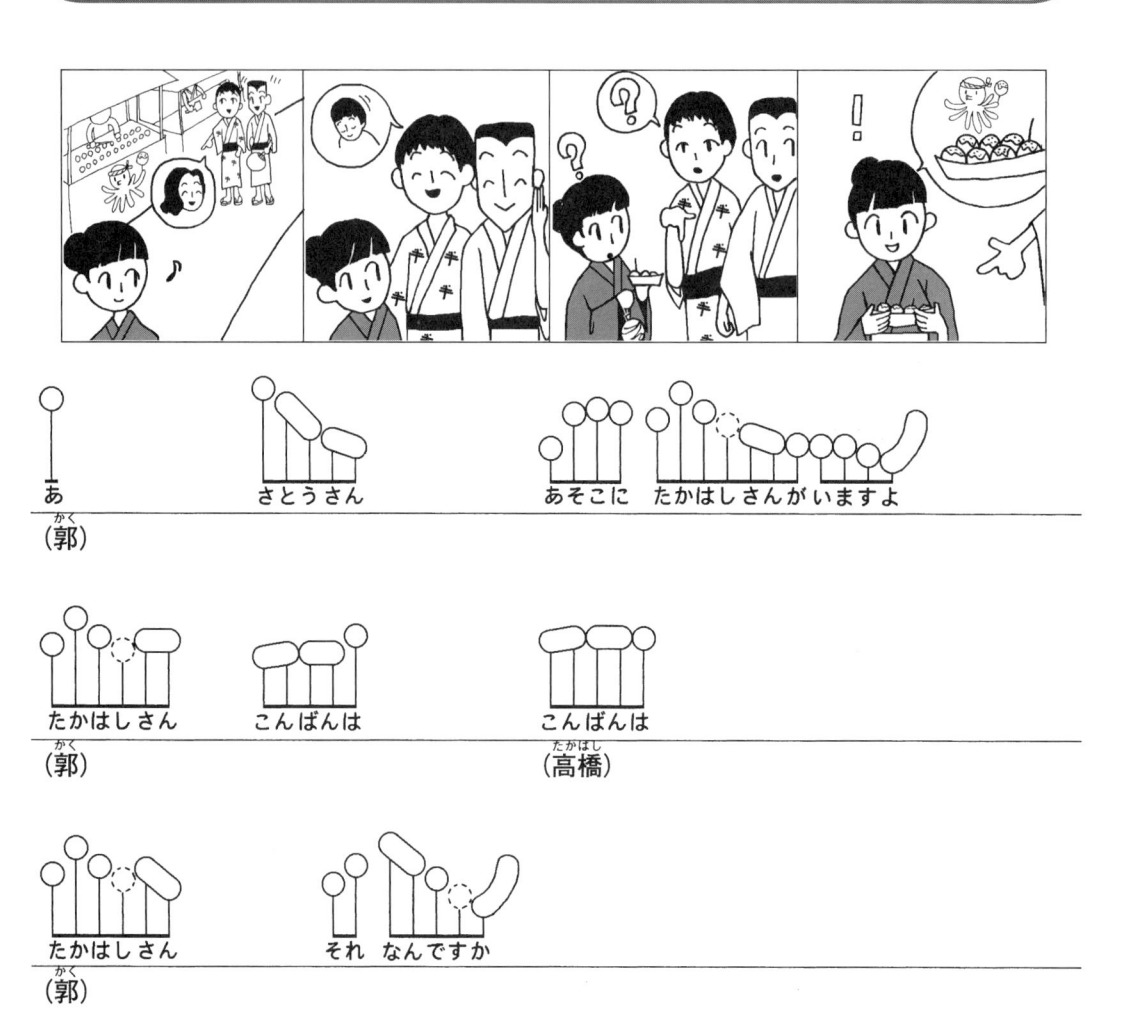

あ
(郭)

さとうさん

あそこに　たかはしさんがいますよ

たかはしさん
(郭)

こんばんは

こんばんは
(高橋)

たかはしさん
(郭)

それ　なんですか

夏祭りです。郭さんと佐藤さんが歩いています。たこやき屋の前に高橋さんがいます。

ここに注意！

・「あそこに高橋さんがいます。」「佐藤さんはあそこにいます。」などの長い文のヤマ

・「どれ？」「これ？」「たこやき？」などの普通体の質問文のイントネーション

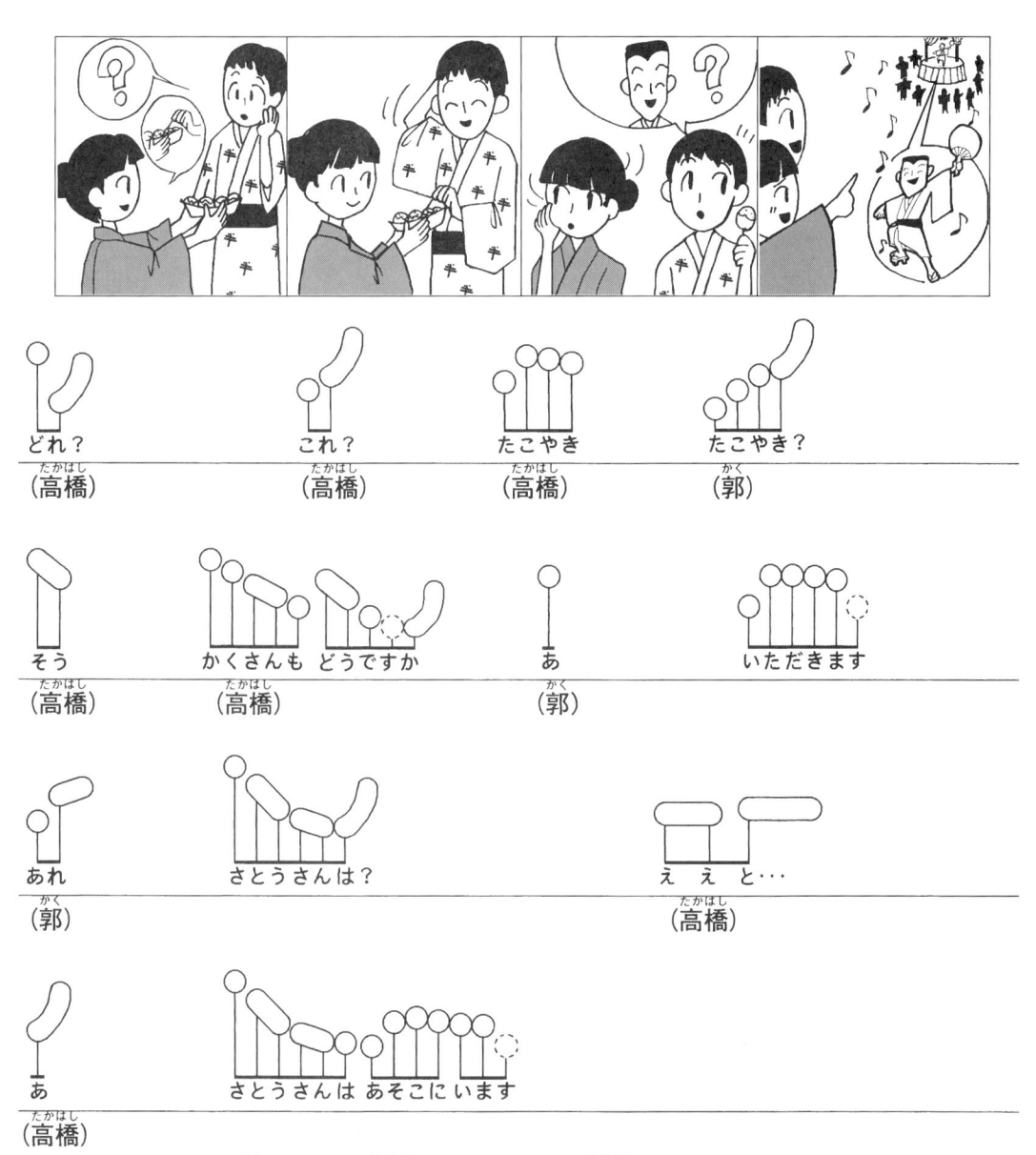

5．たこやき？

郭　：あ、佐藤さん、あそこに高橋さんがいますよ。
　　　高橋さん、こんばんは。
高橋：こんばんは。
郭　：高橋さん、それ、何ですか。
高橋：どれ？　これ？　たこやき。
郭　：たこやき？
高橋：そう。　郭さんもどうですか。
郭　：あ、いただきます。　あれ、佐藤さんは。
高橋：ええと…、あ、佐藤さんはあそこにいます。

5-1 長い文(3) 「あそこに高橋さんがいます。」

練習0 B-5　①〜⑩は、ヤマいくつ(1、2、3…)ですか。

①(　　) ②(　　) ③(　　) ④(　　) ⑤(　　)
⑥(　　) ⑦(　　) ⑧(　　) ⑨(　　) ⑩(　　)

練習1 B-6　「先生に会いました。」などのヤマ1つの文の前に「〜は」「〜で」「〜に」「〜と」「きのう」などがあると、ヤマが増えます。

「〜の」では、ヤマは増えません。

a　せんせいに あいました
b　パーティーで せんせいに あいました
c　きのう パーティーで せんせいに あいました

① あそこに かくさんが います
② あした バスで こうべへ いきます
③ つくえの うえに ペンが あります
④ らいしゅう わたしの うちで パーティーを しましょう
⑤ あした ブラウンさんの ともだちに ほんを かります

練習2 B-7　①②は、どんなヤマですか。

① 先週の日曜日、私は加藤さんと新幹線で京都へ行きました。
② きのうの夜、スミスさんの友達とレストランで晩ご飯を食べました。

① せんしゅうの にちようび　わたしは　かとうさんと　しんかんせんで　きょうとへ いきました

② きのうの よる　スミスさんの ともだちと　レストランで　ばんごはんを たべました

5．たこやき？

練習1
B-6

「先生に会いました。」などのヤマ1つの文の前に「〜は」「〜で」「〜に」「〜と」「きのう」などがあると、ヤマが増えます。
「〜の」では、ヤマは増えません。

(a) 先生に会いました。　　(b) パーティーで先生に会いました。
(c) きのうパーティーで先生に会いました。
① あそこに郭さんがいます。
② 明日バスで神戸へ行きます。
③ 机の上にペンがあります。
④ 来週私のうちでパーティーをしましょう。
⑤ 明日ブラウンさんの友達に本を借ります。

練習2
B-7

①②は、どんなヤマですか。
① 先週の日曜日、私は加藤さんと新幹線で京都へ行きました。
② きのうの夜、スミスさんの友達とレストランで晩ご飯を食べました。

練習1
B-6

(a) せんせいにあいました。
(b) パーティーでせんせいにあいました。
(c) きのうパーティーでせんせいにあいました。
① あそこにかくさんがいます。
② あしたバスでこうべへいきます。
③ つくえのうえにペンがあります。
④ らいしゅうわたしのうちでパーティーをしましょう。
⑤ あしたブラウンさんのともだちにほんをかります。

練習2
B-7

① せんしゅうのにちようび、わたしはかとうさんとしんかんせんできょうとへいきました。
② きのうのよる、スミスさんのともだちとレストランでばんごはんをたべました。

練習0　①1　②2　③3　④2　⑤3　⑥3　⑦2　⑧4　⑨3　⑩5

5-2 長い文(4)「郭さんと佐藤さん」

練習0 ①〜⑩は、ヤマいくつ(1、2、3…)ですか。
B-8
①(　　) ②(　　) ③(　　) ④(　　) ⑤(　　)
⑥(　　) ⑦(　　) ⑧(　　) ⑨(　　) ⑩(　　)

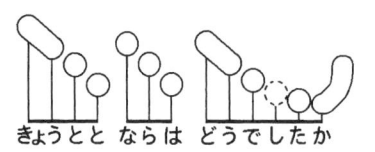

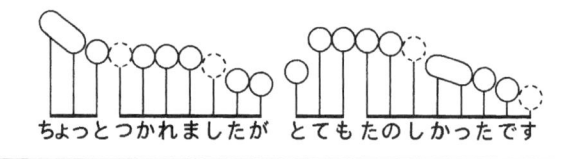

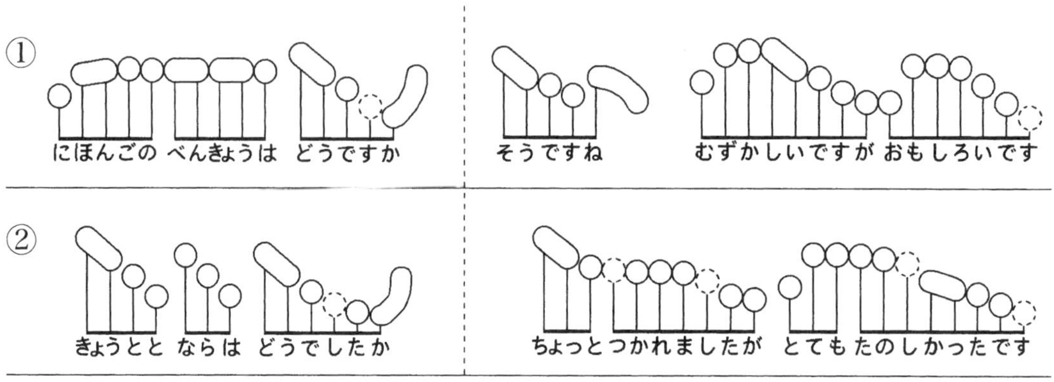

練習1 「〜と」「〜や」「〜で、」「〜て、」の後ろには、新しいヤマができます。
B-9

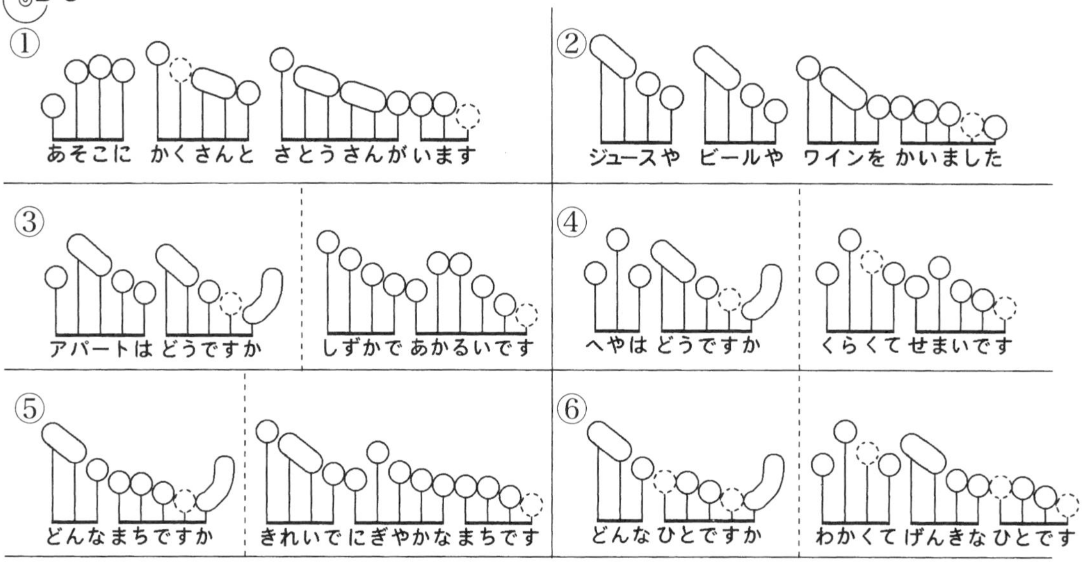

① あそこに かくさんと さとうさんが います
② ジュースや ビールや ワインを かいました
③ アパートは どうですか／しずかで あかるいです
④ へやは どうですか／くらくて せまいです
⑤ どんな まちですか／きれいで にぎやかな まちです
⑥ どんな ひとですか／わかくて げんきな ひとです

練習2 「〜が、」の後ろには、新しいヤマができます。①②は、どんなヤマですか。
B-10
① a: 日本語の勉強はどうですか。b: そうですね。難しいですが、おもしろいです。
② a: 京都と奈良はどうでしたか。b: ちょっと疲れましたが、とても楽しかったです。

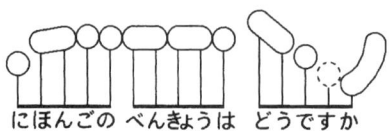

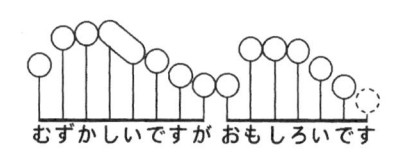

① にほんごの べんきょうは どうですか／そうですね　むずかしいですが おもしろいです
② きょうとと ならは どうでしたか／ちょっと つかれましたが とても たのしかったです

練習1

B-9

「〜と」「〜や」「〜で、」「〜て、」の後ろには、新しいヤマができます。

① あそこに郭さんと佐藤さんがいます。
② ジュースやビールやワインを買いました。
③ a: アパートはどうですか。　　b: 静かで、明るいです。
④ a: 部屋はどうですか。　　b: 暗くて、狭いです。
⑤ a: どんな町ですか。　　b: きれいで、にぎやかな町です。
⑥ a: どんな人ですか。　　b: 若くて、元気な人です。

練習2

B-10

「〜が、」の後ろには、新しいヤマができます。①②は、どんなヤマですか。

① a: 日本語の勉強はどうですか。
　 b: そうですね。難しいですが、おもしろいです。
② a: 京都と奈良はどうでしたか。
　 b: ちょっと疲れましたが、とても楽しかったです。

練習1

B-9

① あそこにか￢くさんとさ￢とうさんがいま￢す。
② ジュ￢ースやビ￢ールやワ￢インをかいま￢した。
③ a: アパ￢ートはど￢うですか。　b: し￢ずかで、あかる￢いです。
④ a: へやはど￢うですか。　b: く￢らくて、せま￢いです。
⑤ a: ど￢んなま￢ちですか。　b: き￢れいで、にぎやかなま￢ちです。
⑥ a: ど￢んなひ￢とですか。　b: わか￢くて、げ￢んきなひ￢とです。

練習2

B-10

① a: にほんごのべんきょうはど￢うですか。
　 b: そ￢うですね。むずかし￢いですが、おもしろ￢いです。
② a: きょ￢うとと￢ならはど￢うでしたか。
　 b: ちょ￢っとつかれま￢したが、とてもたのし￢かったです。

練習0　①2　②3　③1　④2　⑤2　⑥2　⑦2　⑧2　⑨3　⑩3

5-3 質問文(6)「だれかいますか。」

練習0 ①〜⑩は、ヤマいくつ(1、2、3…)ですか。
B-11
① (　　) ② (　　) ③ (　　) ④ (　　) ⑤ (　　)
⑥ (　　) ⑦ (　　) ⑧ (　　) ⑨ (　　) ⑩ (　　)

練習1 「だれがいますか。」は「だれ」を聞きたいので、ヤマ1つです。
B-12 「だれかいますか。」は「いますか／いませんか」を聞きたいので、ヤマ2つです。

① あそこに だれが いますか／ソさんが います
② へやに なにか ありますか／はい あります
③ あそこに だれか いますか／いえ いません
④ へやに なにが ありますか／ベッドが あります

練習2 「何も食べませんでした。」などの「何も」「だれも」「どこも」の文は、ヤマ1つです。「何も」「だれも」「どこも」のアクセントは、下がりません。
B-13

① a: 何か食べましたか。　　　　　b: 何も食べませんでした。
② a: 教室にだれかいますか。　　　b: だれもいません。
③ a: 冷蔵庫の中に何かありますか。　b: はい、卵と野菜とチーズがあります。
④ a: 金曜日の夜アンさんとどこへ行きましたか。　b: レストランへ行きました。

① なにか たべましたか／なにも たべませんでした
② きょうしつに だれか いますか／だれも いません
③ れいぞうこのなかに なにか ありますか／はい たまごや やさいと チーズが あります
④ きんようびのよる アンさんと どこへ いきましたか／レストランへ いきました

5. たこやき？

練習1 🔊B-12

「だれがいますか。」は「だれ」を聞きたいので、ヤマ1つです。
「だれかいますか。」は「いますか／いませんか」を聞きたいので、ヤマ2つです。

① a: あそこにだれがいますか。　　b: ソさんがいます。
② a: 部屋に何かありますか。　　　b: はい、あります。
③ a: あそこにだれかいますか。　　b: いえ、いません。
④ a: 部屋に何がありますか。　　　b: ベッドがあります。

練習2 🔊B-13

「何も食べませんでした。」などの「何も」「だれも」「どこも」の文は、ヤマ1つです。「何も」「だれも」「どこも」のアクセントは、下がりません。

① a: 何か食べましたか。　　　　b: 何も食べませんでした。
② a: 教室にだれかいますか。　　b: だれもいません。
③ a: 冷蔵庫の中に何かありますか
　　b: はい、卵と野菜とチーズがあります。
④ a: 金曜日の夜アンさんとどこへ行きましたか。
　　b: レストランへ行きました。

練習1 🔊B-12

① a: あそこにだれがいま￢すか。　　b: ソ￢さんがいま￢す。
② a: へや￢にな￢にかありま￢すか。　b: は￢い、ありま￢す。
③ a: あそこにだれかいま￢すか。　　b: いえ、いませ￢ん。
④ a: へや￢にな￢にがありま￢すか。　b: ベ￢ッドがありま￢す。

練習2 🔊B-13

① a: な￢にかたべま￢したか。　　　　b: なにもたべませ￢んでした。
② a: きょうしつにだれかいま￢すか。　b: だれもいませ￢ん。
③ a: れいぞ￢うこのな￢かにな￢にかありま￢すか。
　　b: は￢い、たま￢ごとやさいとチ￣ーズがありま￢す。
④ a: きんよ￢うびのよ￢るアンさんとど￢こへいきま￢したか。
　　b: レ￢ストランへいきま￢した。

練習0　①2　②2　③3　④2　⑤3　⑥3　⑦3　⑧3　⑨1　⑩1

5-4 アクセント(3)「たこやき」

練習0 B-14 ①〜⑩のアクセントは、同じです(○)か、ちがいます(×)か。

①(　)　②(　)　③(　)　④(　)　⑤(　)
⑥(　)　⑦(　)　⑧(　)　⑨(　)　⑩(　)

練習1 B-15 練習しましょう。

カーテンです。　コーヒーです。　こうこうです。

まいにちです。　おととしです。　ひらがなです。　ついたちです。　けしゴムです。

① セーターです。　　　　　　　⑫ シーディーです。　　　⑲ ぎんこうです。
② きょうだいです。　⑦ アパートです。　⑬ たいふうです。　　　⑳ しょくどうです。
③ あかちゃんです。　⑧ おにぎりです。　⑭ かたかなです。　⑮ いちがつです。　㉑ ちかてつです。
④ ケーキです。　　　⑨ さとうです。　　　　　　　　　　　⑯ どうぐです。　㉒ カレーです。
⑤ テレビです。　　　⑩ たまごです。　　　　　　　　　　　⑰ あしたです。　㉓ くるまです。
⑥ めがねです。　　　⑪ ひとりです。　　　　　　　　　　　⑱ やすみです。　㉔ さかなです。

練習2 B-16 「やすみ」は、「やすみです」「やすみが」のように、最後の「み」の後ろの音が必ず低くなりますが、「さかな」と同じになることもあります。

やすみです　やすみがあります　やすみじゃありません　やすみ　やすみ？　やすみのしゃしんです

さかなです　さかながあります　さかなじゃありません　さかな　さかな？　さかなのしゃしんです

5. たこやき？

練習1 練習しましょう。

B-15

カーテンです。　　　　　　　　コーヒーです　　　　　　　　　　高校です。
毎日です。　　おとรしです。　ひらがなです。　1日です。　消しゴムです。
① セーターです。　　　　　　　　⑫ CDです。　　　　　　　　　⑲ 銀行です。
② 兄弟です。　　⑦ アパートです。　⑬ 台風です。　　　　　　　　⑳ 食堂です
③ 赤ちゃんです。　⑧ おにぎりです。　⑭ かたかなです。　⑮ 1月です。　㉑ 地下鉄です。
④ ケーキです。　⑨ 砂糖です。　　　　　　　　⑯ 道具です。　㉒ カレーです。
⑤ テレビです。　⑩ 卵です。　　　　　　　　⑰ 明日です。　㉓ 車です。
⑥ 眼鏡です。　⑪ 1人です。　　　　　　　　⑱ 休みです。　㉔ 魚です。

練習2

B-16 「やすみ」は、「やすみです」「やすみが」のように、最後の「み」の後ろの音が必ず低くなりますが、「さかな」と同じになることもあります。

休みです。　　休みがあります。　　休みじゃありません。
魚です。　　　魚があります。　　　魚じゃありません。
休み。　　　　休み？　　　　　　　休みの写真です。
魚。　　　　　魚？　　　　　　　　魚の写真です。

練習1

B-15

　　カ￣テンで￨す。　　　　　　　　コ￣ヒ￣で￨す。　　　　　　　こ￣こうで￨す。
　　ま￨いにちで￨す。　おと￣しで￨す。　ひらが￣なで￨す。　ついたちで￨す。　けしゴムで￨す。
① セ￣ターで￨す。　　　　　　　　⑫ シ￣ディ￣で￨す。　　　　　　⑲ ぎ￣んこうで￨す。
② きょ￣うだいで￨す。⑦ アパ￣トで￨す。⑬ た￨いふうで￨す。　　　　⑳ しょ￣くどうで￨す。
③ あ￨かちゃんで￨す。⑧ おに￨ぎりで￨す。⑭ かた￣かなで￨す。⑮ いちが￨つで￨す。㉑ ちか￣てつで￨す。
④ ケ￣キで￨す。　⑨ さと￣うで￨す。　　　　　　　　⑯ どうぐで￨す。　㉒ カレ￣で￨す。
⑤ テ￨レビで￨す。　⑩ たま￨ごで￨す。　　　　　　　⑰ あした￨で￨す。　㉓ くるまで￨す。
⑥ め￨がねで￨す。　⑪ ひと￨りで￨す。　　　　　　　⑱ やすみ￨で￨す。　㉔ さかなで￨す。

練習2

B-16　やすみ￨で￨す。　　やすみ￨があります。　　やすみ￨じゃありません。
　　　　さかなで￨す。　　さかながありま￨す。　　さかなじゃありません。
　　　　やすみ￨。　　　　やすみ￨？　　　　　　　やすみ￨のしゃしんで￨す。
　　　　さかな。　　　　　さかな？　　　　　　　　さかなのしゃしんで￨す。

練習0　①×　②×　③○　④○　⑤○　⑥○　⑦×　⑧○　⑨○　⑩×

5-5 質問文(7)「たこやき？」

練習0 B-17 ①〜⑩のアクセントは、下がります(○)か、下がりません(×)か。

(○) いっぱい？　(×) いっぱい？

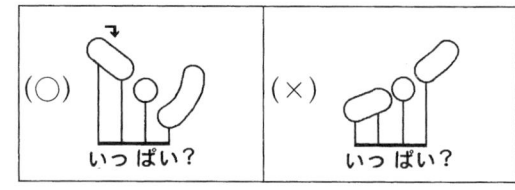

①(　) ②(　) ③(　) ④(　) ⑤(　)
⑥(　) ⑦(　) ⑧(　) ⑨(　) ⑩(　)

練習1 B-18 最後の音だけを上げると、質問になります。質問の文でも、アクセントは同じです。

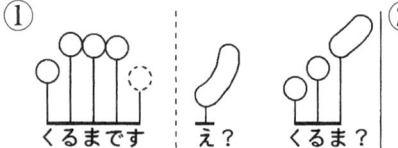

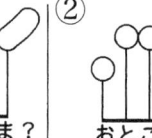

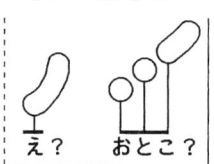

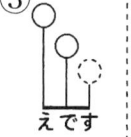

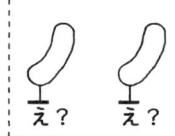

① くるまです。え？ くるま？
② おとこです。え？ おとこ？
③ えです。え？ え？
④ バナナです。え？ バナナ？
⑤ はちじです。え？ はちじ？
⑥ じしょです。え？ じしょ？

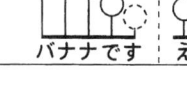

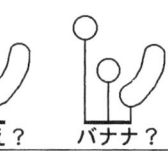

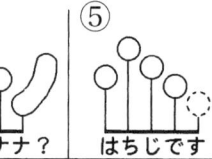

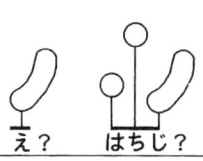

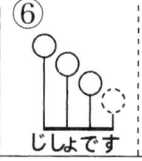

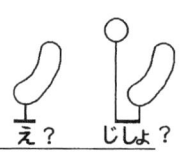

⑦ おなかです。　⑧ おなじです。　⑨ でんわです。　⑩ けしゴムです。
⑪ いすです。　⑫ めです。　⑬ めがねです。　⑭ ケーキです。
⑮ ゆうびんきょくです。　⑯ ひとりです。　⑰ ひらがなです。　⑱ かさです。

練習2 B-19 練習しましょう。

① フランスのくるまを かいました | え？ フランスのくるま？ | ええ フランスのくるまです
② たくさんのめがねが あります | え？ たくさんのめがね？ | ええ たくさんのめがねです

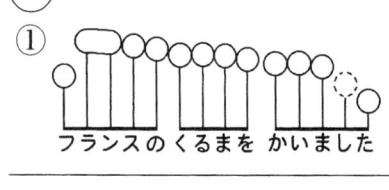

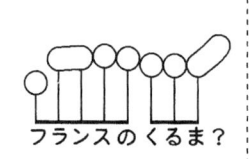

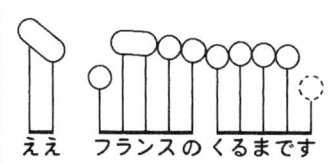

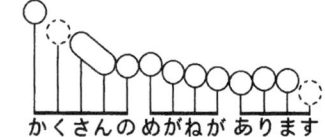

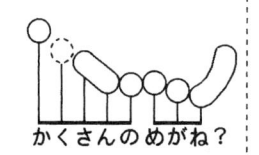

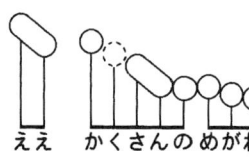

5. たこやき？

練習1 B-18 最後の音だけを上げると、質問になります。質問の文でも、アクセントは同じです。

① a: 車です。　b: え？　車？　　② a: 男です。　b: え？　男？
③ a: 絵です。　b: え？　絵？　　④ a: バナナです。b: え？　バナナ？
⑤ a: 8時です。b: え？　8時？　　⑥ a: 辞書です。b: え？　辞書？
⑦ b: おなか？　⑧ b: 同じ？　⑨ b: 電話？　⑩ b: 消しゴム？
⑪ b: いす？　⑫ b: 目？　⑬ b: 眼鏡？　⑭ b: ケーキ？
⑮ b: 郵便局？　⑯ b: 1人？　⑰ b: ひらがな？　⑱ b: かさ？

練習2 B-19 練習しましょう。

① a: フランスの車を買いました。　　b: え？　フランスの車？
　 a: ええ、フランスの車です。
② a: 郭さんの眼鏡があります。　　b: え？　郭さんの眼鏡？
　 a: ええ、郭さんの眼鏡です。

練習1 B-18

① a: くるま⌐です。b: え？くるま？　② a: おとこ⌐です。b: え？おとこ⌐？
③ a: え⌐です。b: え？え⌐？　　　　④ a: バナナです。b: え？バナナ？
⑤ a: はち⌐じです。b: え？はち⌐じ？　⑥ a: じ⌐しょです。b: え？じ⌐しょ？
⑦ b: おなか？　⑧ b: おなじ？　⑨ b: でんわ？　⑩ b: けしゴム？
⑪ b: いす？　⑫ b: め⌐？　⑬ b: め⌐がね？　⑭ b: ケーキ？
⑮ b: ゆうび⌐んきょく？　⑯ b: ひと⌐り？　⑰ b: ひらがな？　⑱ b: か⌐さ？

練習2 B-19

① a: フランスのくるまをかいま⌐した。　b: え？　フランスのくるま？
　 a: え⌐え、フランスのくるまです。
② a: か⌐くさんのめ⌐がねがありま⌐す。　b: え？　か⌐くさんのめ⌐がね？
　 a: え⌐え、か⌐くさんのめ⌐がねです。

練習0　①×　②○　③×　④○　⑤○　⑥×　⑦○　⑧○　⑨×　⑩○

5-6 アクセント(4)「フランス料理」

練習0 ①〜⑩は、どの音で下がりますか。最初に下がる(↓)音の文字を書いてください。

B-20

(テ) テレビです (ま) たまごです (た) あしたです

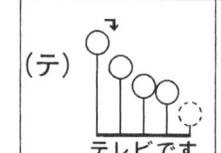

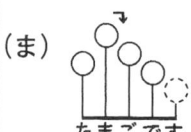

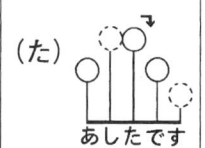

①(　　) ②(　　) ③(　　) ④(　　) ⑤(　　)
⑥(　　) ⑦(　　) ⑧(　　) ⑨(　　) ⑩(　　)

練習1 「〜大学」「〜料理」「〜売り場」のアクセントは、「〜」が何でも「〜だ｀いがく」「〜りょ｀うり」「〜う｀りば」です。「〜語」は、下がりません。

B-21

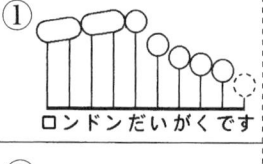

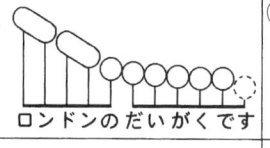

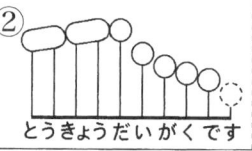

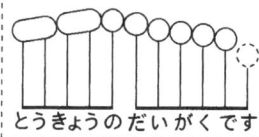

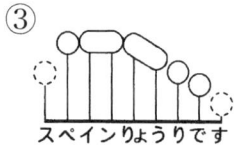

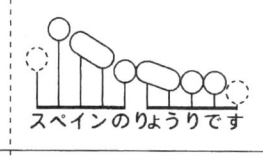

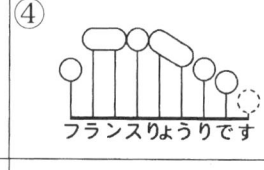

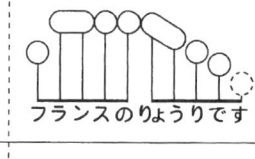

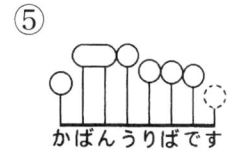

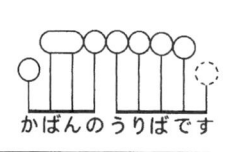

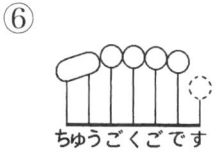

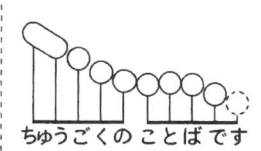

① ロンドンだいがくです ／ ロンドンのだいがくです ／ ② とうきょうだいがくです ／ とうきょうのだいがくです

③ スペインりょうりです ／ スペインのりょうりです ／ ④ フランスりょうりです ／ フランスのりょうりです

⑤ かばんうりばです ／ かばんのうりばです ／ ⑥ ちゅうごくごです ／ ちゅうごくのことばです

練習2 ①〜③は、どんなアクセントですか。

B-22

① 広島大学の学生です。
② a: 眼鏡売り場はどこですか。　b: 時計売り場のとなりです。
③ a: タイ料理と韓国料理とどちらがいいですか。b: どちらでもいいです。

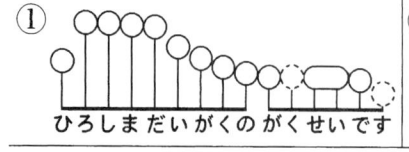

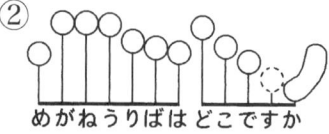

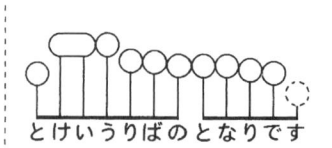

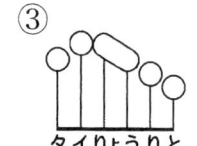

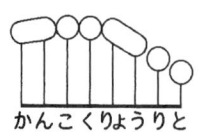

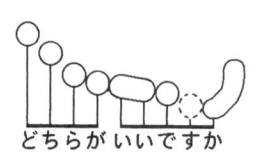

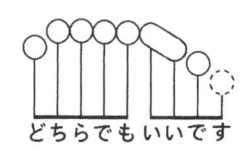

① ひろしまだいがくのがくせいです
② めがねうりばはどこですか ／ とけいうりばのとなりです
③ タイりょうりと ／ かんこくりょうりと ／ どちらがいいですか ／ どちらでもいいです

5．たこやき？

練習1 B-21

「～大学」「～料理」「～売り場」のアクセントは、「～」が何でも「～だ'いがく」「～りょ'うり」「～う'りば」です。「～語」は、下がりません。

① ロンドン大学です。　　　ロンドンの大学です。
② 東京大学です。　　　　　東京の大学です。
③ スペイン料理です。　　　スペインの料理です。
④ フランス料理です。　　　フランスの料理です。
⑤ かばん売り場です。　　　かばんの売り場です。
⑥ 中国語です。　　　　　　中国のことばです。

練習2 B-22

①～③は、どんなアクセントですか。
① 広島大学の学生です。
② a: 眼鏡売り場はどこですか。
　　b: 時計売り場のとなりです。
③ a: タイ料理と韓国料理とどちらがいいですか。
　　b: どちらでもいいです。

練習1 B-21

① ロンドンだ'いがくで'す。　　　ロ'ンドンのだいがくで'す。
② とうきょうだ'いがくで'す。　　とうきょうのだいがくで'す。
③ スペインりょ'うりで'す。　　　スペインのりょ'うりで'す。
④ フランスりょ'うりで'す。　　　フランスのりょ'うりで'す。
⑤ かばんう'りばで'す。　　　　　かばんのうりばで'す。
⑥ ちゅうごくごで'す。　　　　　　ちゅ'うごくのことばで'す。

練習2 B-22

① ひろしまだ'いがくのがくせいです。
② a: めがねう'りばはど'こですか。
　　b: とけいう'りばのとなりです。
③ a: タイりょ'うりとかんこくりょ'うりとど'ちらがい'いですか。
　　b: どちらでもい'いで'す。

練習0　①だ　②だ　③だ　④ロ　⑤りょ　⑥りょ　⑦ぺ　⑧ちゅ　⑨う　⑩う

5-7 ー 「どうですか」

練習0 B-23

(A) ⬭⬭⬭　　　(B) ⬭⬭⬭⬭

「こうつうじょうきょうです。」の ▭ は(A)です。
「きょうどうさぎょうです。」の ▭ は(B)です。
①〜⑧は、(A)ですか、(B)ですか。
①(　)　②(　)　③(　)　④(　)
⑤(　)　⑥(　)　⑦(　)　⑧(　)

練習1 B-24

(　)のことばは、a b c d e のどれですか。

A
①(　)ですか。(　)です。・　　・a ⬭⬭
②(　)ですか。(　)です。・　　・b ○○○
③(　)ですか。(　)です。・　　・c ○⬭
④(　)ですか。(　)です。・　　・d ⬭○
　　　　　　　　　　　　　　　・e ○○

B
①(　)ですか。(　)です。・　　・a ⬭○○
②(　)ですか。(　)です。・　　・b ⬭○⬭
③(　)ですか。(　)です。・　　・c ○○○
④(　)ですか。(　)です。・　　・d ○⬭○
　　　　　　　　　　　　　　　・e ⬭○○○

練習2 B-25

練習しましょう。

①(⬭○○　⬭○○　⬭○○) ○○○○
　スーツと　コートを　カードで　かいます。

②(⬭○○　○○○　○⬭○○)
　きゅうしゅうの　こうじょうは　ゆうめいです。

③(○⬭○　○⬭○　○⬭○) ○○○○○
　おとうとと　いもうとは　スポーツが　とくいです。

④(⬭○　○⬭○　○⬭○)
　ぶちょうと　しゃちょうは　じょせいです。

⑤(⬭○○　○⬭○　○⬭○　○⬭○○)
　じゅうどうの　れんしゅうは　こんしゅうの　きんようです。

⑥(○⬭○　○⬭○　○⬭○　○⬭○○)
　みかんと　ぶどうと　メロンが　ほしいです。

5．たこやき？

⌐◯
 ⌐◯　スーツ　コート　カード　映画(えいが)　生徒(せいと)　テープ　ニュース　ノート
　　　プール　フォーク　料理(りょうり)　興味(きょうみ)　空気(くうき)　京都(きょうと)　ソース　ケーキ
 ⌐◯　ゆうべ
　　　映画(えいが)　英語(えいご)　しょうゆ　掃除(そうじ)　10日(とおか)　病気(びょうき)　ページ　帽子(ぼうし)　8日(ようか)
◯
　⌐◯◯　九州(きゅうしゅう)　柔道(じゅうどう)　セーター　パーティー　オーバー
　⌐◯◯　工場(こうじょう)　大勢(おおぜい)　コーヒー　CD(シーディー)
　　　　有名(ゆうめい)　牛乳(ぎゅうにゅう)　封筒(ふうとう)　急行(きゅうこう)　競争(きょうそう)　空港(くうこう)　東京(とうきょう)
　　　　今週(こんしゅう)　銀行(ぎんこう)　先週(せんしゅう)　勉強(べんきょう)　練習(れんしゅう)　運動(うんどう)　関係(かんけい)　研究(けんきゅう)
　　　　カーテン　両親(りょうしん)　9番(きゅうばん)　10番(じゅうばん)
　⌐◯◯　金曜(きんよう)　先生(せんせい)
　　　　公園(こうえん)　交番(こうばん)　病院(びょういん)　警官(けいかん)　経験(けいけん)　相談(そうだん)

◯
 ◯⌐◯　スポーツ　アパート　火曜日(かようび)　スカート　デパート　土曜日(どようび)
　　　　飛行機(ひこうき)　自動車(じどうしゃ)
 ◯⌐◯　弟(おとうと)　妹(いもうと)
 ◯⌐◯　自動車(じどうしゃ)　ボリューム

◯
 ⌐◯　ギター　授業(じゅぎょう)　バター　以上(いじょう)　20(にじゅう)
 ⌐◯　みかん　メロン
 ⌐◯　きのう　砂糖(さとう)　ほしい　50(ごじゅう)
 ⌐◯　部長(ぶちょう)　社長(しゃちょう)　女性(じょせい)　ぶどう　時計(とけい)　お礼(れい)　向こう(むこう)

練習0　①A　②B　③B　④B　⑤A　⑥A　⑦A　⑧B
　　　（A）◯⌐◯◯◯
　　　①しょうしんしょうめい　　⑤れいとうほうほう
　　　⑥スーパーヒーロー　　　　⑦ろうどうじょうけん
　　　（B）◯⌐◯◯◯
　　　②こうきゅうろせん　　　　③しゅうだんこう
　　　④ぎょうせいしどう　　　　⑧ごうどうくよう

練習1　A　①せなか－b　　　　②こ⌐おり－d
　　　　　③じ⌐しょ－e　　　　④こうこう－a
　　　B　①じむしょ－c　　　　②ちゅ⌐うごく－a
　　　　　③ひこ⌐うき－d　　　④とうきょうと－e

6 ああ、10日（とおか）…。

どうぞ
（高橋）

たかはしさん　えいが　すき？　ええ　よくみますよ
（佐藤）　　　　　　　　　　　　（高橋）

じゃ　「こいびとたちのごご」　もうみた？　ううん　まだ
（佐藤）　　　　　　　　　　　　　　　　　（高橋）

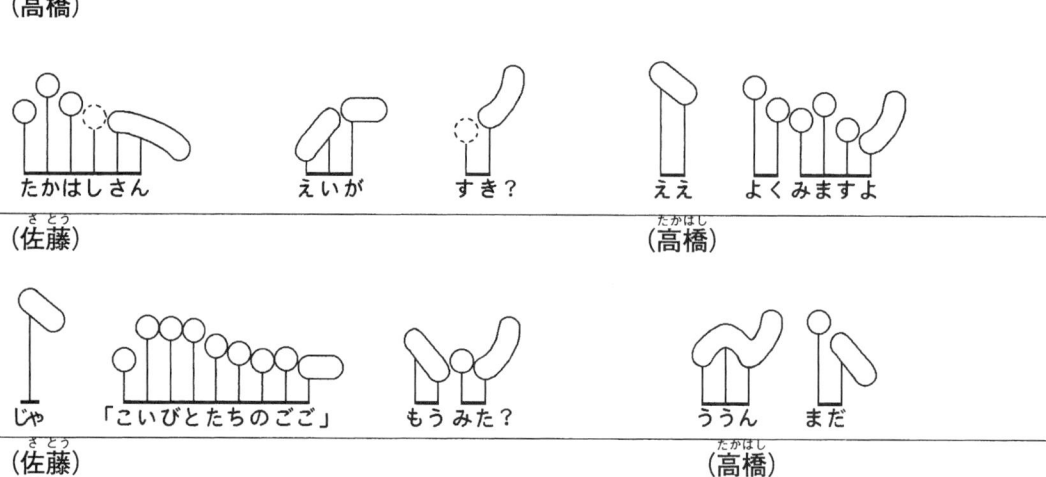

高橋さんが事務室で仕事をしています。佐藤さんが来ました。

🔔ここに注意！

・「好き？」「見た？」「行く？」「10日？」などの普通体の質問文のイントネーション
・「金曜日はどう？」「金曜？」などの「ー」終わりの質問文のイントネーション
・「10日…。」「そうですか…。」などの下降イントネーション
・「どうぞ。」「よく見ますよ。」などの質問以外の上昇イントネーション
・「見た」「ある」「行く」などの動詞の活用とアクセント

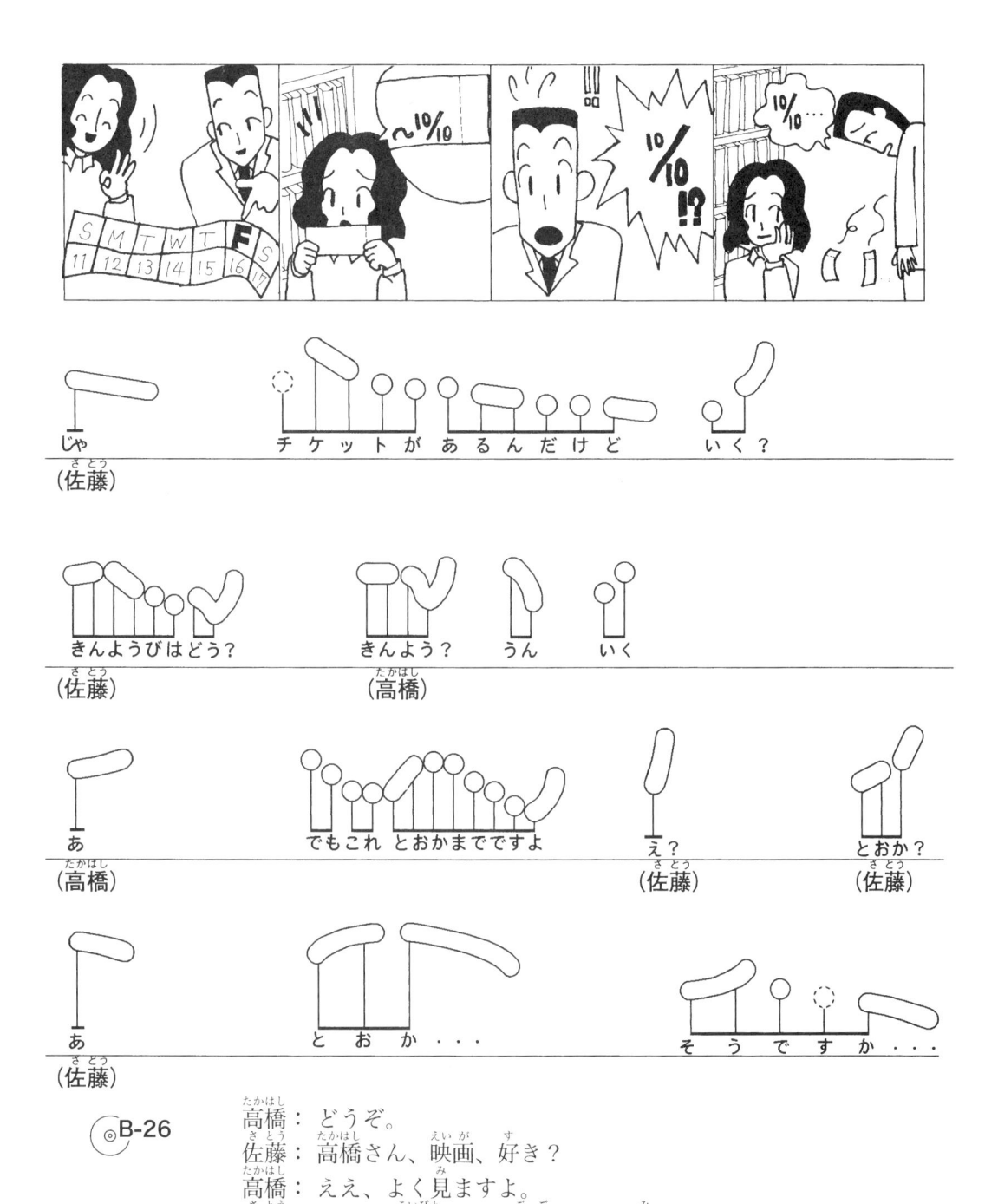

6. ああ、10日…。

じゃ
(佐藤)

チケットがあるんだけど　いく？

きんようびはどう？
(佐藤)

きんよう？　うん　いく
(高橋)

あ
(高橋)

でもこれ とおかまでですよ

え？
(佐藤)

とおか？
(佐藤)

あ
(佐藤)

とおか・・・

そうですか・・・

B-26

高橋：どうぞ。
佐藤：高橋さん、映画、好き？
高橋：ええ、よく見ますよ。
佐藤：じゃ、「恋人たちの午後」、もう見た？
高橋：ううん、まだ。
佐藤：じゃ、チケットがあるんだけど、行く？　金曜日はどう？
高橋：金曜？　うん、行く。　あ、でも、これ、10日までですよ。
佐藤：え？　10日？　あ、10日…。　そうですか…。

6-1 て形「教えてください。」

練習0 ①〜⑩の「〜てください。」の「〜」は、下がります(A)か、下がりません(B)か。
B-27
①(　) ②(　) ③(　) ④(　) ⑤(　)
⑥(　) ⑦(　) ⑧(　) ⑨(　) ⑩(　)

練習1 て形は、(A)(B)2つのパターンがあります。
B-28 (A)のアクセントは、「●●●￢●て」「●●￢●て」「●￢●て」「●￢て」です。
(B)のアクセントは、下がりません。

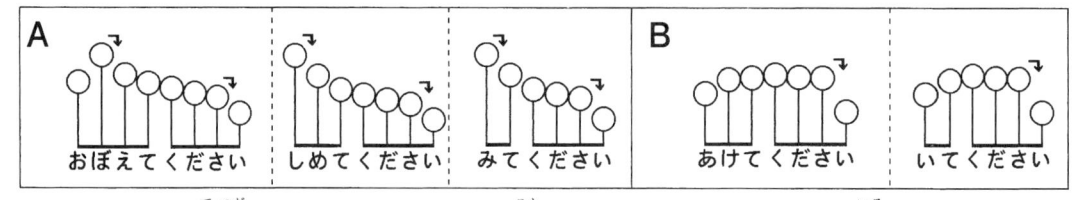

A: おぼえてください / しめてください / みてください
B: あけてください / いてください

① 手伝ってください。　② 答えてください。　③ 急いでください。
④ 待ってください。　⑤ 取ってください。　⑥ 見せてください。
⑦ 来てください。
⑧ 止めてください。　⑨ 消してください。　⑩ 呼んでください。
⑪ 行ってください。　⑫ 寝てください。

練習2 「〜を〜てください。」「〜を〜ています。」はヤマ1つです。
B-29 「〜てもいいです。」の「いいです」が大きいと、怒った言い方になるので、注意しましょう。

① おしえてください
② ゆっくり はなして ください
③ じゅうしょと なまえを かいて ください
④ あめが ふっています
⑤ ジョンさんは なにを していますか
　 ごはんを たべています
⑥ このペン つかっても いいですか / ええ つかっても いいですよ / じゃ かしてください

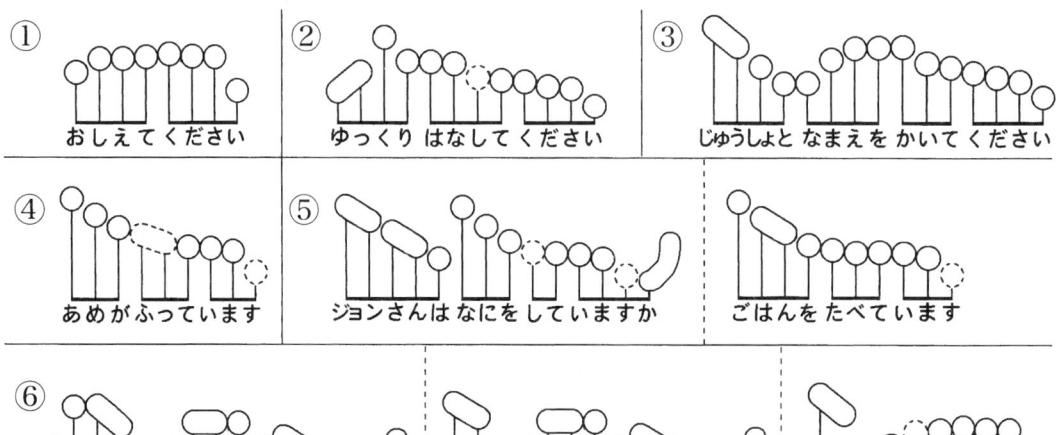

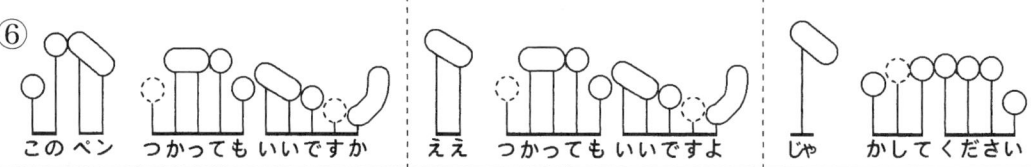

6．ああ、10日…。

練習1 B-28

て形は、(A)(B)2つのパターンがあります。
(A)のアクセントは、「●●●⌐●て」「●●⌐●て」「●⌐●て」「●⌐て」です。
(B)のアクセントは、下がりません。

A 覚えてください。 閉めてください。 見てください。
B 開けてください。 いてください。
① 手伝ってください。 ② 答えてください。 ③ 急いでください。
④ 待ってください。 ⑤ 取ってください。 ⑥ 見せてください。
⑦ 来てください。 ⑧ 止めてください。 ⑨ 消してください。
⑩ 呼んでください。 ⑪ 行ってください。 ⑫ 寝てください。

練習2 B-29

「～を～てください。」「～を～ています。」はヤマ1つです。
「～てもいいです。」の「いいです」が大きいと、怒った言い方になるので、注意しましょう。

① 教えてください。 ② ゆっくり話してください。
③ 住所と名前を書いてください。 ④ 雨が降っています。
⑤ a: ジョンさんは何をしていますか。 b: ご飯を食べています。
⑥ a: このペン、使ってもいいですか。 b: ええ、使ってもいいですよ。
　 a: じゃ、貸してください。

練習1 B-28

A お⌐ぼえてくださ⌐い。 し⌐めてくださ⌐い。 み⌐てくださ⌐い。
B あけてくださ⌐い。 いてくださ⌐い。
① てつだ⌐ってくださ⌐い。 ② こた⌐えてくださ⌐い。 ③ いそ⌐いでくださ⌐い。
④ ま⌐ってくださ⌐い。 ⑤ と⌐ってくださ⌐い。 ⑥ み⌐せてくださ⌐い。
⑦ き⌐てくださ⌐い。 ⑧ とめてくださ⌐い。 ⑨ けしてくださ⌐い。
⑩ よんでくださ⌐い。 ⑪ いってくださ⌐い。 ⑫ ねてくださ⌐い。

練習2 B-29

① おしえてくださ⌐い。 ② ゆっく⌐りはな⌐してくださ⌐い。
③ じゅ⌐うしょとなまえをか⌐いてくださ⌐い。 ④ あ⌐めがふっていま⌐す。
⑤ a: ジョ⌐ンさんはな⌐にをしていま⌐すか。
　 b: ご⌐はんをた⌐べていま⌐す。
⑥ a: このペン、つかってもい⌐いですか。
　 b: え⌐え、つかってもい⌐いですよ。
　 a: じゃ、かしてくださ⌐い。

練習0 ①A ②A ③A ④B ⑤B ⑥B ⑦B ⑧A ⑨A ⑩A

6-2 ない形「たばこを吸わないでください。」

練習0 ①~⑩の「~ないでください」は、「な」で下がりません(A)か、「な」で下がります(B)か。
B-30
① (　) ② (　) ③ (　) ④ (　) ⑤ (　)
⑥ (　) ⑦ (　) ⑧ (　) ⑨ (　) ⑩ (　)

練習1 ない形は、(A)(B)2つのパターンがあります。
B-31
(A)のアクセントは、「~●ない」です。
(B)のアクセントは、「~●な⌉い」です。

A			B	
かえらないでください	しめないでください	みないでください	あけないでください	しないでください

① 答えないでください。 ② 返さないでください。 ③ 取らないでください。
④ 飲まないでください。 ⑤ 来ないでください。
⑥ 忘れないでください。 ⑦ 使わないでください。 ⑧ 行かないでください。
⑨ 置かないでください。 ⑩ 寝ないでください。

練習2 「~を~ないでください。」「~を~なければなりません。」はヤマ2つです。「~なくてもいいです。」もヤマ2つですが、「いいです」のヤマが大きいと、怒った言い方になるので、注意しましょう。
B-32

① たばこを すわないで ください
② おふろに はいらないで ください
③ ここに くるまを とめないで ください
④ このほんを よまなければ なりません
⑤ じゅうじまでに うちに かえらなければ なりません
⑥ レポートを ださなければ なりませんか / いえ ださなくても いいですよ / そうですか

練習1 B-31

ない形は、(A)(B)2つのパターンがあります。
(A)のアクセントは、「〜●ない」です。
(B)のアクセントは、「〜●な￬い」です。

A 帰らないでください。 閉めないでください。 見ないでください。
B 開けないでください。 しないでください。

① 答えないでください。② 返さないでください。③ 取らないでください。
④ 飲まないでください。⑤ 来ないでください。
⑥ 忘れないでください。⑦ 使わないでください。⑧ 行かないでください。
⑨ 置かないでください。⑩ 寝ないでください。

練習2 B-32

「〜を〜ないでください。」「〜を〜なければなりません。」はヤマ2つです。「〜なくてもいいです。」もヤマ2つですが、「いいです」のヤマが大きいと、怒った言い方になるので、注意しましょう。

① たばこを吸わないでください。 ② おふろに入らないでください。
③ ここに車を止めないでください。 ④ この本を読まなければなりません。
⑤ 10時までにうちに帰らなければなりません。
⑥ a: レポートを出さなければなりませんか。
　b: いえ、出さなくてもいいですよ。
　a: そうですか。

練習1 B-31

A かえら￬ないでくださ￬い。 しめ￬ないでくださ￬い。 み￬ないでくださ￬い。
B あけな￬いでくださ￬い。 しな￬いでくださ￬い。

① こたえ￬ないでくださ￬い。 ② かえさ￬ないでくださ￬い。
③ とら￬ないでくださ￬い。 ④ のま￬ないでくださ￬い。
⑤ こ￬ないでくださ￬い。 ⑥ わすれな￬いでくださ￬い。
⑦ つかわな￬いでくださ￬い。 ⑧ いかな￬いでくださ￬い。
⑨ おかな￬いでくださ￬い。 ⑩ ね￬ないでくださ￬い。

練習2 B-32

① たばこをすわな￬いでくださ￬い。 ② おふろにはいら￬ないでくださ￬い。
③ ここにくるまをとめな￬いでくださ￬い。
④ このほ￬んをよま￬なければなりませ￬ん。
⑤ じゅ￬うじまでにうちにかえら￬なければなりませ￬ん。
⑥ a: レポートをださ￬なければなりませ￬んか。
　b: いえ、ださ￬なくてもい￬いですよ。　　a: そ￬うですか。

練習0　①A　②A　③A　④A　⑤B　⑥B　⑦A　⑧B　⑨B　⑩B

6-3 辞書形(じしょけい)「チケットがあるんだけど。」

練習0 ①〜⑩の辞書形のアクセントは、下(さ)がります(A)か、下(さ)がりません(B)か。
B-33
①(　　) ②(　　) ③(　　) ④(　　) ⑤(　　)
⑥(　　) ⑦(　　) ⑧(　　) ⑨(　　) ⑩(　　)

練習1 辞書形(じしょけい)は、(A)(B)2つのパターンがあります。(A)のアクセントは、「〜●῍●」です。(B)のアクセントは、下(さ)がりません。
B-34

A	B
おぼえる / しめる / だす	おしえる / あける / する

① 集(あつ)める。 ② 泳(およ)ぐ。 ③ 話(はな)す。 ④ 食(た)べる。 ⑤ 帰(かえ)る。
⑥ 入(はい)る。 ⑦ 読(よ)む。 ⑧ 飲(の)む。 ⑨ 来(く)る。
⑩ 忘(わす)れる。 ⑪ 働(はたら)く。 ⑫ 使(つか)う。 ⑬ 変(か)える。 ⑭ 乗(の)る。 ⑮ 聞(き)く。

練習2 練習(れんしゅう)しましょう。
B-35
① 来(く)ると思(おも)います。　　② うちにいると思(おも)います。
③ かばんの中(なか)にあると思(おも)います。　④ ロンさんは奈良(なら)へ行(い)くと言(い)いました。
⑤ a: ひらがなを読(よ)むことができますか。　b: はい、できます。
⑥ a: 車(くるま)を運転(うんてん)することができますか。　b: いえ、できません。
⑦ 私(わたし)の趣味(しゅみ)は絵(え)をかくことです。

① くるとおもいます
② うちにいるとおもいます
③ かばんのなかにあるとおもいます
④ ロンさんはならへいくといいました
⑤ ひらがなをよむことが できますか　はい できます
⑥ くるまをうんてんすることが できますか　いえ できません
⑦ わたしのしゅみはえをかくことです

練習1
B-34

辞書形は、(A)(B)2つのパターンがあります。(A)のアクセントは、「〜●゛●」です。(B)のアクセントは、下がりません。

A 覚える。　閉める。　出す。　　B 教える。　開ける。　する。
① 集める。　② 泳ぐ。　③ 話す。　④ 食べる。　⑤ 帰る。
⑥ 入る。　　⑦ 読む。　⑧ 飲む。　⑨ 来る。
⑩ 忘れる。　⑪ 働く。　⑫ 使う。　⑬ 変える。　⑭ 乗る。　⑮ 聞く。

練習2
B-35

練習しましょう。
① 来ると思います。　　　② うちにいると思います。
③ かばんの中にあると思います。　④ ロンさんは奈良へ行くと言いました。
⑤ a: ひらがなを読むことができますか。　b: はい、できます。
⑥ a: 車を運転することができますか。　b: いえ、できません。
⑦ 私の趣味は絵をかくことです。

練習1
B-34

A　おぼえ゛る。　しめ゛る。　だ゛す。
B　おしえる。　あける。　する。
① あつめ゛る。　② およ゛ぐ。　③ はな゛す。　④ たべ゛る。　⑤ か゛える。
⑥ は゛いる。　⑦ よ゛む。　⑧ の゛む。　⑨ く゛る。　⑩ わすれる。
⑪ はたらく。　⑫ つかう。　⑬ かえる。　⑭ のる。　⑮ きく。

練習2
B-35

① く゛るとおもいま゛す。　② うちにいる゛とおもいま゛す。
③ かばんのな゛かにあ゛るとおもいま゛す。
④ ロ゛ンさんはならへいく゛といいま゛した。
⑤ a: ひらがなをよ゛むこと゛ができま゛すか。　b: は゛い、できま゛す。
⑥ a: くるまをうんてんすること゛ができま゛すか。　b: いえ、できませ゛ん。
⑦ わたしのしゅ゛みはえ゛をかくこと゛です。

練習0　①B　②B　③B　④B　⑤A　⑥A　⑦A　⑧A　⑨A　⑩A

6-4 質問文(8)「行く?」

練習0 ①〜⑩の動詞のアクセントは、下がります(A)か、下がりません(B)か。

B-36
①(　　) ②(　　) ③(　　) ④(　　) ⑤(　　)
⑥(　　) ⑦(　　) ⑧(　　) ⑨(　　) ⑩(　　)

練習1 質問のときもアクセントは変わりません。

B-37

A: おぼえる?　しめる?　だす?
B: おしえる?　あける?　する?

① 集める?　② 泳ぐ?　③ 話す?　④ 食べる?　⑤ 帰る?
⑥ 入る?　⑦ 読む?　⑧ 飲む?　⑨ 来る?
⑩ 忘れる?　⑪ 働く?　⑫ 使う?　⑬ 変える?　⑭ 乗る?　⑮ 聞く?

練習2 た形のアクセントは、て形と同じです。

B-38

① いっしょに みる?　うん みる
② きのう じしょつかった?　ううん つかわなかった
③ ひるごはん たべる?　ううん たべない
④ しんかんせんに のった こと ある?　うん あるよ
⑤ さとうさんは どこ いった?　としょかんへ いったよ
⑥ なんじに ここへ くる?　ううん……
⑦ あした かいぎで やまもとさんに あう?　ううん… あわないと おもうよ　そう

6．ああ、10日…。

練習1
B-37
A 覚える。　閉める。　出す。　　B 教える。　開ける。　する。
① 集める？　② 泳ぐ？　③ 話す？　④ 食べる？　⑤ 帰る？
⑥ 入る？　⑦ 読む？　⑧ 飲む？　⑨ 来る？
⑩ 忘れる？　⑪ 働く？　⑫ 使う？　⑬ 変える？　⑭ 乗る？　⑮ 聞く？

練習2
B-38
① a: いっしょに見る？　　　　　　　　b: うん、見る。
② a: きのう、辞書、使った？　　　　　b: ううん、使わなかった。
③ a: 昼ご飯、食べる？　　　　　　　　b: ううん、食べない。
④ a: 新幹線に乗ったこと、ある？　　　b: うん、あるよ。
⑤ a: 佐藤さんはどこ行った？　　　　　b: 図書館へ行ったよ。
⑥ a: 何時にここへ来る？　　　　　　　b: ううん…。
⑦ a: 明日、会議で山本さんに会う？
　　b: ううん…、会わないと思うよ。　a: そう。

練習1
B-37
A おぼえる？　しめる？　だす？　　B おしえる？　あける？　する？
① あつめる？　② およぐ？　③ はなす？
④ たべる？　⑤ かえる？　⑥ はいる？
⑦ よむ？　⑧ のむ？　⑨ くる？
⑩ わすれる？　⑪ はたらく？　⑫ つかう？
⑬ かえる？　⑭ のる？　⑮ きく？

練習2
B-38
① a: いっしょにみる？　　　　　　　　b: うん、みる。
② a: きのう、じしょ、つかった？　　　b: ううん、つかわなかった。
③ a: ひるごはん、たべる？　　　　　　b: ううん、たべない。
④ a: しんかんせんにのったこと、ある？　b: うん、あるよ。
⑤ a: さとうさんはどこいった？　　　　b: としょかんへいったよ。
⑥ a: なんじにここへくる？　　　　　　b: ううん…。
⑦ a: あした、かいぎでやまもとさんにあう？
　　b: ううん…、あわないとおもうよ。　a: そう。

練習0　①B　②B　③A　④A　⑤A　⑥A　⑦B　⑧A　⑨A　⑩B

6-5 質問文(9)「金曜？」

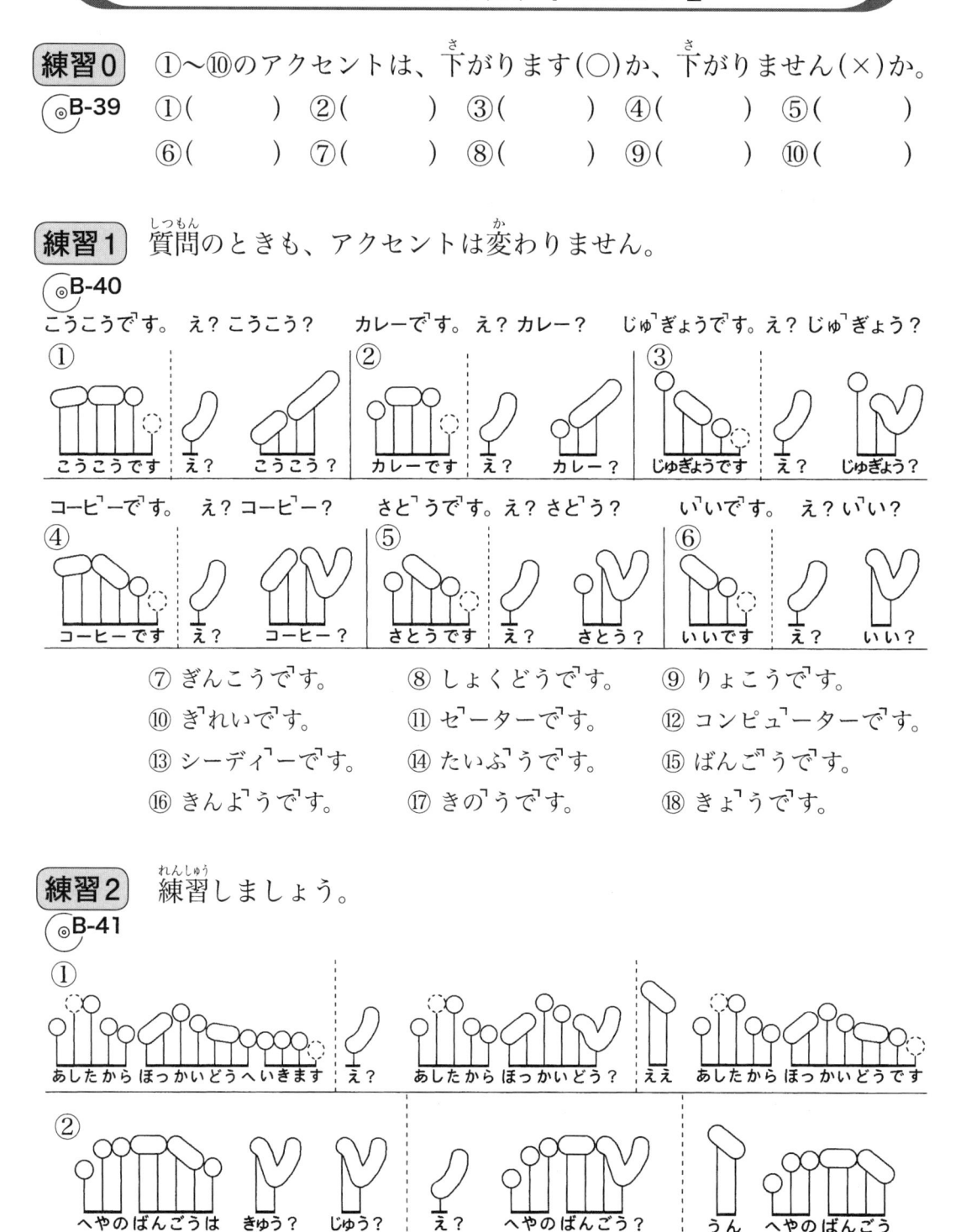

練習0 ①～⑩のアクセントは、下がります(○)か、下がりません(×)か。
B-39
① (　　)　② (　　)　③ (　　)　④ (　　)　⑤ (　　)
⑥ (　　)　⑦ (　　)　⑧ (　　)　⑨ (　　)　⑩ (　　)

練習1 質問のときも、アクセントは変わりません。
B-40

① こうこうです。え？こうこう？
② カレーです。え？カレー？
③ じゅぎょうです。え？じゅぎょう？
④ コーヒーです。え？コーヒー？
⑤ さとうです。え？さとう？
⑥ いいです。え？いい？

⑦ ぎんこうです。　⑧ しょくどうです。　⑨ りょこうです。
⑩ きれいです。　⑪ セーターです。　⑫ コンピューターです。
⑬ シーディーです。　⑭ たいふうです。　⑮ ばんごうです。
⑯ きんようです。　⑰ きのうです。　⑱ きょうです。

練習2 練習しましょう。
B-41

① あしたから ほっかいどうへ いきます　え？　あしたから ほっかいどう？　ええ　あしたから ほっかいどうです

② へやの ばんごうは　きゅう？　じゅう？　え？　へやの ばんごう？　うん　へやの ばんごう

6．ああ、10日…。

練習1
B-40

質問のときも、アクセントは変わりません。
① a: 高校です。　b: え？ 高校？　② a: カレーです。　b: え？ カレー？
③ a: 授業です。　b: え？ 授業？　④ a: コーヒーです。　b: え？ コーヒー？
⑤ a: 砂糖です。　b: え？ 砂糖？　⑥ a: いいです。　b: え？ いい？
⑦ b: 銀行？　⑧ b: 食堂？　⑨ b: 旅行？　⑩ b: きれい？
⑪ b: セーター？　⑫ b: コンピューター？　⑬ b: ＣＤ？
⑭ b: 台風？　⑮ b: 番号？　⑯ b: 金曜？
⑰ b: きのう？　⑱ b: 今日？

練習2
B-41

練習しましょう。
① a: 明日から北海道へ行きます。　b: え？ 明日から北海道？
　a: ええ、明日から北海道です。
② a: 部屋の番号は９？ 10？　b: え？ 部屋の番号？
　a: うん、部屋の番号。

練習1
B-40

① a: こ￢うこうです。　b: え？ こ￢うこう？
② a: カレ￢ーです。　b: え？ カレ￢ー？
③ a: じゅ￢ぎょうです。　b: え？ じゅ￢ぎょう？
④ a: コ￢ーヒーです。　b: え？ コ￢ーヒー？
⑤ a: さと￢うです。　b: え？ さと￢う？
⑥ a: い￢いです。　b: え？ い￢い？
⑦ b: ぎんこう？　⑧ b: しょくどう？
⑨ b: りょこう？　⑩ b: き￢れい？
⑪ b: セ￢ーター？　⑫ b: コンピュ￢ーター？　⑬ b: シーディ￢ー？
⑭ b: たいふ￢う？　⑮ b: ばんご￢う？　⑯ b: きんよ￢う？
⑰ b: きの￢う？　⑱ b: きょ￢う？

練習2
B-41

① a: あした￢からほっか￢いどうへいきま￢す。
　b: え？ あした￢からほっか￢いどう？
　a: え￢え、あした￢からほっか￢いどうです。
② a: へやのばんご￢うはきゅ￢う？ じゅ￢う？　b: え？ へやのばんご￢う？
　a: う￢ん、へやのばんご￢う。

練習0　①×　②○　③○　④○　⑤×　⑥○　⑦×　⑧○　⑨○　⑩○

6-6 質問以外のイントネーション「そうですか…。」

練習0 ①〜⑩の文の最後は、上がります(○)か、上がりません(×)か。
B-42　①(　　)　②(　　)　③(　　)　④(　　)　⑤(　　)
　　　⑥(　　)　⑦(　　)　⑧(　　)　⑨(　　)　⑩(　　)

練習1　「本当によくわかりました」という気持ちや、残念な気持ちの言い方は、最後の音が下がります。残念な言い方は、低くてゆっくりです。
B-43

① だめです／だめですか…／そうですか…　② これです／ああ　そうですか
③ あめです／ああ　あめ　④ カレーです／ああ　カレー　⑤ おばさんです／ああ　おばさん

⑥ めがねです。　⑦ はちじです。　⑧ いもうとです。　⑨ おなじです
⑩ いすです。　⑪ きのうです。　⑫ りょこうです。　⑬ かばんです。
⑭ スプーンです。　⑮ ゆうびんきょくです。　⑯ しんかんせんです。

練習2　「見てください。」を「見て。」と言うとき、最後が短く上がることがあります。「どうぞ。」「もしもし。」「〜よ。」などの最後も、短く上がることがあります。明るい言い方です。
B-44

① これみて／どれ？　② ちょっとかして／どうぞ　③ あしたまでまって／いいですよ
④ これでいい？／いいよ　⑤ もしもし／リンさんですか／もりです／ああ　もりさん

6．ああ、10日…。

練習1
B-43

「本当によくわかりました」という気持ちや、残念な気持ちの言い方は、最後の音が下がります。残念な言い方は、低くてゆっくりです。

① a: だめです。　b: だめですか。そうですか。
② a: これです。　b: ああ、そうですか。　③ a: 雨です。　b: ああ、雨。
④ a: カレーです。　b: ああ、カレー。　⑤ a: おばさんです。b: ああ、おばさん。
⑥ b: 眼鏡。　⑦ b: 8時。　⑧ b: 妹。　⑨ b: 同じ。
⑩ b: いす。　⑪ b: きのう。　⑫ b: 旅行。　⑬ b: かばん。
⑭ b: スプーン。　⑮ b: 郵便局。　⑯ b: 新幹線。

練習2
B-44

「見てください。」を「見て。」というとき、最後が短く上がることがあります。「どうぞ。」「もしもし。」「〜よ。」などの最後も、短く上がることがあります。明るい言い方です。

① a: これ、見て。　b: どれ？　② a: ちょっと貸して。b: どうぞ。
③ a: 明日まで待って。b: いいですよ。　④ a: これでいい？　b: いいよ。
⑤ a: もしもし、リンさんですか。森です。　b: ああ、森さん。

練習1
B-43

① a: だめ＼です。　b: だめ＼ですか。そ＼うですか。
② a: これ＼です。b: ああ、そ＼うですか。　③ a: あ＼めです。b: ああ、あ＼め。
④ a: カレ＼ーです。b: ああ、カレー。⑤ a: おばさんです＼よ。b: ああ、おばさん。
⑥ b: め＼がね。　⑦ b: はちじ＼。　⑧ b: いもうと＼。　⑨ b: おな＼じ。
⑩ b: いす＼。　⑪ b: きの＼う。　⑫ b: りょこう＼。　⑬ b: かばん＼。
⑭ b: スプ＼ーン。　⑮ b: ゆうびんきょく＼。
⑯ b: しんか＼んせん。

練習2
B-44

① a: これ、み＼て。　　　　b: ど＼れ？
② a: ちょ＼っとかして。　　 b: ど＼うぞ。
③ a: あした＼までま＼って。b: い＼いですよ。
④ a: これでい＼い？　　　　b: い＼いよ。
⑤ a: も＼しもし、リ＼ンさんで＼すか。も＼りです。　b: ああ、も＼りさん。

練習0　①×　②×　③○　④○　⑤×　⑥○　⑦×　⑧×　⑨○　⑩×

6-7 ッ(1)「いっしょに」

練習0 B-45

(A) ⬯⬯⬯⬯　　　(B) ⬯⬯⬯

「べんきょうねっしんです。」の ▨▨ は(A)です。
「かんきょうおせんです。」の ▨▨ は(B)です。
①〜⑧は、(A)ですか、(B)ですか。
①(　) ②(　) ③(　) ④(　)
⑤(　) ⑥(　) ⑦(　) ⑧(　)

練習1 B-46

(　)のことばは、a b c d e のどれですか。

A
①(　)ですか。(　)です。・　・a ⬯⬯⬯
②(　)ですか。(　)です。・　・b ⬯⬯⬯
③(　)ですか。(　)です。・　・c ⬯⬯
④(　)ですか。(　)です。・　・d ⬯⬯
　　　　　　　　　　　　　　・e ⬯⬯

B
①(　)ですか。(　)です。・　・a ⬯⬯⬯⬯
②(　)ですか。(　)です。・　・b ⬯⬯⬯
③(　)ですか。(　)です。・　・c ⬯⬯⬯
④(　)ですか。(　)です。・　・d ⬯⬯⬯
　　　　　　　　　　　　　　・e ⬯⬯⬯

練習2 B-47

練習しましょう。

①(⬯⬯⬯　⬯⬯⬯　⬯⬯⬯) ⬯⬯⬯⬯
　まんがの　ざっしを　はっさつ　かいます。

②(⬯⬯⬯　⬯⬯⬯　⬯⬯⬯) ⬯⬯⬯
　きょうから　いっしょに　しゅっせき　しましょう。

③(⬯⬯⬯⬯⬯　⬯⬯⬯⬯　⬯⬯⬯)
　きっさてんでも　キャッシュカードで　いいでしょうか。

④(⬯⬯⬯⬯　⬯⬯⬯⬯⬯　⬯⬯⬯⬯⬯)
　きっさてんの　ちゅうしゃじょうは　こうさてんの　むこうの ほうだ。

⑤(⬯⬯⬯⬯　⬯⬯⬯　⬯⬯⬯⬯⬯)
　にゅうじょうりょうは　いっしゅう かんで　はっせん えんです。

⑥(⬯⬯⬯　⬯⬯⬯　⬯⬯⬯　⬯⬯⬯)
　みんなで　テープと　ティッシュを　かったの？

6. ああ、10日…。

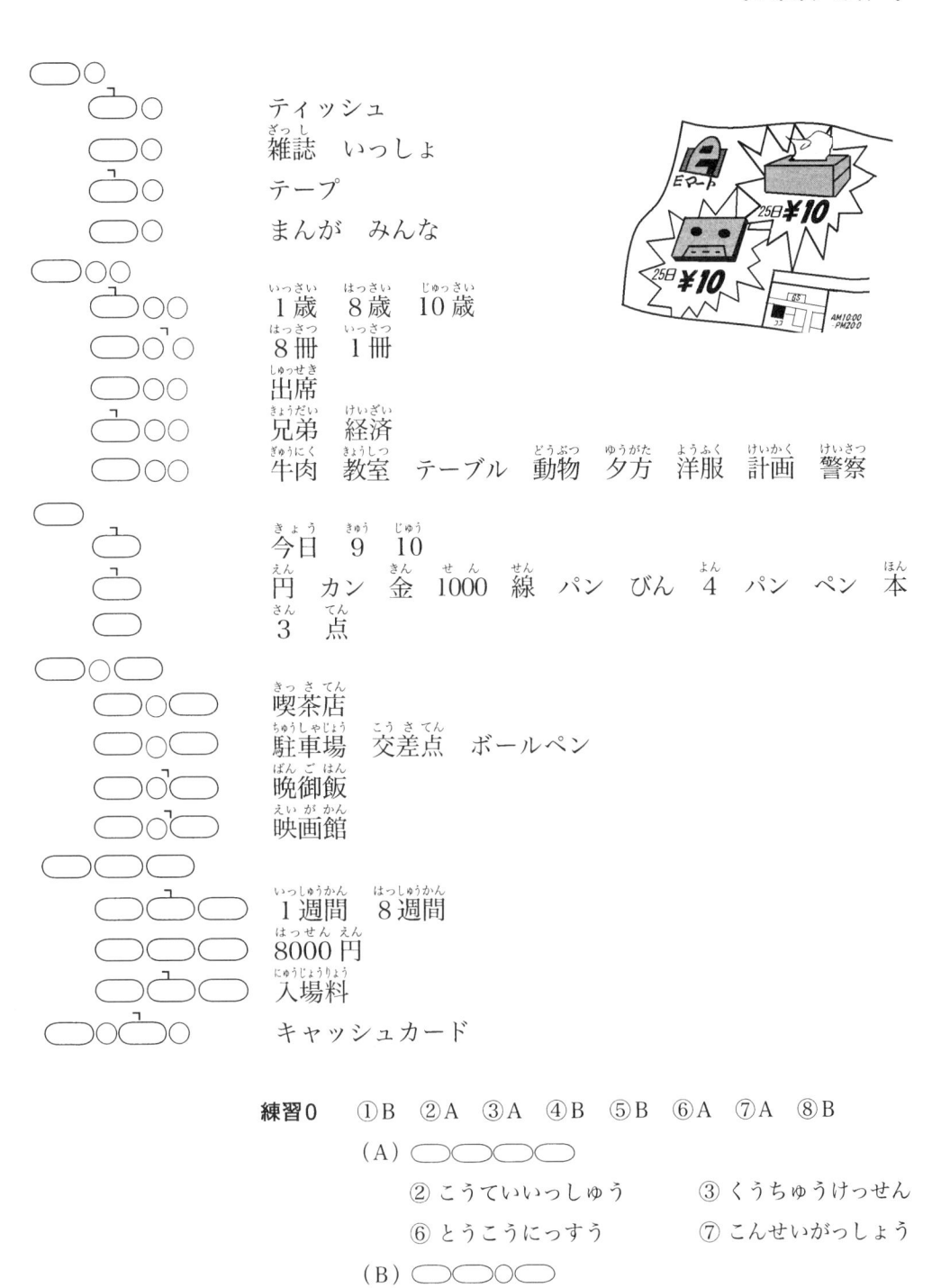

ティッシュ
雑誌　いっしょ
テープ
まんが　みんな

1歳　8歳　10歳
8冊　1冊
出席
兄弟　経済
牛肉　教室　テーブル　動物　夕方　洋服　計画　警察

今日　9　10
円　カン　金　1000　線　パン　びん　4　パン　ペン　本
3　点

喫茶店
駐車場　交差点　ボールペン
晩御飯
映画館

1週間　8週間
8000円
入場料
キャッシュカード

練習0　①B　②A　③A　④B　⑤B　⑥A　⑦A　⑧B
（A）◯◯◯◯
　　②こうていいっしゅう　　③くうちゅうけっせん
　　⑥とうこうにっすう　　⑦こんせいがっしょう
（B）◯◯◯◯
　　①じんこうじゅせい　　④こうきょうよさん
　　⑤せいげんじすう　　⑧いっきゅうかせん

練習1　A　①いっしょ－d　　②あ˺さ－e
　　　　　　③くすり－b　　④けっせき－c
　　　　　B　①けしゴム－a　　②まっす˺ぐ－d
　　　　　　③ラ˺ッシュ－b　　④スカ˺ッシュ－e

7 いえ、5時45分です。

やまださん　はい　かえりのひこうきは　なんじ なんぷん？
(中村)　(山田)　(中村)

ごじ　さんじゅう ごふんです　　あ いや　ごじ　よんじゅう ごふんです
(山田)　　　　　　　　　　　　(山田)

ごじ よんじゅう ごふん　はい　じゃ　だいじょうぶですね　イーエヌケーに でんわしましょう
(中村)　(山田)　(中村)

出張の帰りで、中村部長と山田課長が空港にいます。

ここに注意！

- 「何時何分？」などの「ン」終わりの質問文の上昇イントネーション
- 「あ、いや、5時45分です。」などの強調のヤマ
- 「ＥＮＫの電話番号は…。」などの言いさしのイントネーション
- 「226－8497です。」などの電話番号のヤマとアクセント

7．いえ、5時45分です。

B-48

中村：山田さん、帰りの飛行機は何時何分？
山田：5時35分です。　あ、いや、5時45分です。
中村：5時45分。じゃ、大丈夫ですね。ENKに電話しましょう。
山田：あ、はい。　ええと…、ENKの電話番号は…。
中村：226－8497です。
山田：226の、8…、は？　8479？
中村：8497です。
山田：ああ、8497ですね。　はい。

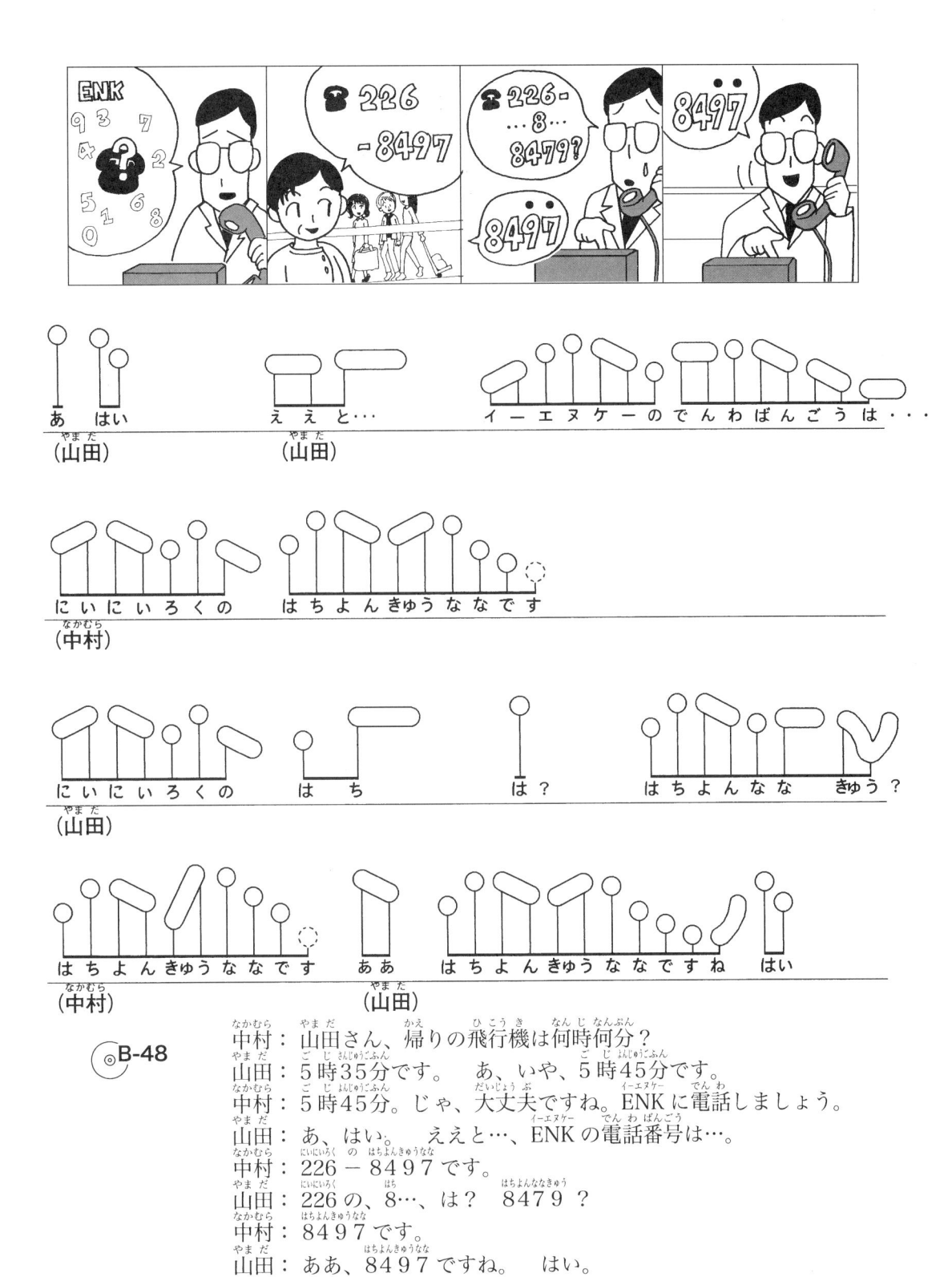

7-1 時間(2)「5時45分」

練習0 B-49

①～⑩は、どの音で下がりますか。最初に下がる音のひらがなを書いてください。

(さ) あけてください
(な) あけないでください

①(　　) ②(　　) ③(　　) ④(　　) ⑤(　　)
⑥(　　) ⑦(　　) ⑧(　　) ⑨(　　) ⑩(　　)

練習1 B-50

(A)「～分」は、「～」が何でも「～ふん」です。「1分」～「9分」、「10分」～「50分」は、「い」っぷん」～「きゅ」うふん」「じゅ」っぷん」～「ごじゅ」っぷん」です。

いっぷんです／にふんです／ななふんです／じゅっぷんです／さんじゅっぷんです／ごじゅっぷんです

(B)「25分」「35分」「45分」などが2、3、4なら、アクセント・ヤマは「にじゅう‖ご」ふん」「さんじゅう‖ご」ふん」「よんじゅう‖ご」ふん」です。

(C)「15分」「55分」などが1、5なら、「じゅうご」ふん」「ごじゅうご」ふん」です。

にじゅうごふんです／さんじゅうごふんです／よんじゅうごふんです／じゅうごふんです／ごじゅうごふんです

①30分です。(さんじゅっぷん)　②10分です。(じゅっぷん)　③15分です。(じゅうごふん)　④45分です。(よんじゅうごふん)
⑤55分です。(ごじゅうごふん)　⑥25分です。(にじゅうごふん)　⑦22分です。(にじゅうにふん)　⑧27分です。(にじゅうななふん)
⑨33分です。(さんじゅうさんぷん)　⑩51分です。(ごじゅういっぷん)　⑪18分です。(じゅうはっぷん)　⑫46分です。(よんじゅうろっぷん)

練習2 B-51

練習しましょう。

① じゅぎょうは なんじから なんじまでですか／よじ じゅうごふんから ごじ よんじゅうごふんまでです

② いちじ にじゅうにふんの バスで いきますか／いえ じゅうにじ さんじゅうななふんの バスで いきましょう

7．いえ、5時45分です。

練習1 (A)「〜分」は、「〜」が何でも「〜ふん」です。「1分」〜「9分」、「10分」〜
B-50 「50分」は、「いっぷん」〜「きゅうふん」「じゅっぷん」〜「ごじゅっぷん」
です。
(B)「25分」「35分」「45分」などが2、3、4なら、アクセント・ヤマは「に
じゅう‖ごふん」「さんじゅう‖ごふん」「よんじゅう‖ごふん」です。
(C)「15分」「55分」などが1、5なら、「じゅうごふん」「ごじゅうごふん」
です。

①30分です。　②10分です。　③15分です。　④45分です。
⑤55分です。　⑥25分です。　⑦22分です。　⑧27分です。
⑨33分です。　⑩51分です。　⑪18分です。　⑫46分です。

練習2 練習しましょう。
B-51 ① a: 授業は何時から何時までですか。
b: 4時15分から5時45分までです。
② a: 1時22分のバスで行きますか。
b: いえ、12時37分のバスで行きましょう。

練習1
B-50
① さんじゅっぷんです。　② じゅっぷんです。
③ じゅうごふんです。　④ よんじゅうごふんです。
⑤ ごじゅうごふんです。　⑥ にじゅうごふんです。
⑦ にじゅうにふんです。　⑧ にじゅうななふんです。
⑨ さんじゅうさんぷんです。　⑩ ごじゅういっぷんです。
⑪ じゅうはっぷんです。　⑫ よんじゅうろっぷんです。

練習2
B-51
① a: じゅぎょうはなんじからなんじまでですか。
b: よじじゅうごふんからごじよんじゅうごふんまでです。
② a: いちじにじゅうにふんのバスでいきますか。
b: いえ、じゅうにじさんじゅうななふんのバスでいきましょう。

練習0　①じゅ　②に　③ご　④い　⑤じゅ　⑥に　⑦よ　⑧は　⑨に　⑩さ

7-2　番号「226−8497」

練習0　①〜⑩は、ヤマいくつ（1、2、3…）ですか。

B-52
① (　　) ② (　　) ③ (　　) ④ (　　) ⑤ (　　)
⑥ (　　) ⑦ (　　) ⑧ (　　) ⑨ (　　) ⑩ (　　)

練習1

B-53
(1) 1けたの数字を続けて言うときは、すべて「↘」になります。○（「2」「5」）は、⬯（「にい」「ごお」）のように長くなります。
(2) 番号などを言うときは、2つの数字がペアになって「⌒」という1つのヤマになります。ペアにならない数字は、元のアクセントです。

ゼロ　いち　に　さん　よん　ご　ろく　なな　はち　きゅう　じゅう

① いち にい さん よん ごお ろく なな はち きゅう じゅう
② ごお よん さん にい いち ゼロ
③ よん よん はち はち
④ ゼロゼロ にいごお です
⑤ いち さん さん きゅう です
⑥ いち いち ろく です
⑦ にい にい なな です

練習2　①〜④は、どんなアクセントですか。

B-54
① 天気予報は、177 です。
② 郵便番号は、610-0359 です。
③ 研究室は、A-305 です。
④ 045-226-8497 です。

① てんきよほうは　いちななな です
② ゆうびんばんごうは　ろくいちゼロの　ゼロさんごおきゅう です
③ けんきゅうしつは　エーのさんまるご です
④ ゼロよんご　にいにいろくの　はちよんきゅうなな です

7. いえ、5時45分です。

練習1
B-53

(1) 1けたの数字を続けて言うときは、すべて「⟍」になります。○（「2」「5」）は、◯（「にい」「ごお」）のように長くなります。
(2) 番号などを言うときは、2つの数字がペアになって「⌒」という1つのヤマになります。ペアにならない数字は、元のアクセントです。

① 1、2、3、4、5、6、7、8、9、10。
② 5、4、3、2、1、0。　③ 4488。
④ 0025です。　⑤ 1339です。　⑥ 116です。　⑦ 227です。

練習2
B-54

①〜④は、どんなアクセントですか。
① 天気予報は、177です。　② 郵便番号は、610-0359です。
③ 研究室は、A-305です。　④ 045-226-8497です。

練習1
B-53

① い\ち、に\い、さ\ん、よ\ん、ご\お、ろ\く、な\な、は\ち、きゅ\う、じゅ\う。
② ご\お、よ\ん、さ\ん、に\い、い\ち、ゼロ。　③ よんよんはちばち。
④ ゼロゼロにいご\おです。　⑤ いちさんさんきゅ\うです。
⑥ いちい\ちろ\くです。　⑦ にいにいな\なです。

練習2
B-54

① てんきよ\ほうは、いちな\なな\なです。
② ゆうびんばんごうは、ろくい\ちゼロのゼロさんごおきゅ\うです。
③ けんきゅ\うしつは、エーのさんま\るごです。
④ ゼロよんご\おにいい\ろく\のはちよんきゅうな\なです。

練習0　①2　②2　③2　④2　⑤2　⑥3　⑦4　⑧4　⑨5　⑩6

7-3 強調「5時35分です。あ、いや、5時45分です。」

練習0 ①〜⑩は、ヤマいくつ(1、2、3…)ですか。
B-55
①(　　) ②(　　) ③(　　) ④(　　) ⑤(　　)
⑥(　　) ⑦(　　) ⑧(　　) ⑨(　　) ⑩(　　)

練習1 一番言いたいところにはヤマができます。大切ではないところにはヤマができません。強調するとき、ヤマの大きさや数が変わることがありますが、アクセントは同じです。
B-56

① よじよんじゅうごふんですね / いえ ごじよんじゅうごふんです
③ ななよんきゅうななですね / いえ はちよんきゅうななです
② ごじさんじゅうごふんですね / いえ ごじよんじゅうごふんです
④ はちよんななきゅうですね / いえ はちよんきゅうななです

練習2 ①〜③は、どんなヤマですか。
B-57
① a: かわのよしゆきさんですね。
　 b: いえ、かわのとしゆきさんです。　a: あ、としゆきさんですか。
② a: 空港でおみやげを買いましょう。
　 b: いえ、駅でおみやげを買いましょう。　a: あ、駅でですか。
③ a: 韓国の趙さんですか。
　 b: いえ、韓国の趙さんじゃなくて、中国の趙さんです。

① かわのよしゆきさんですね / いえ かわのとしゆきさんです / あ としゆきさんですか
② くうこうで おみやげを かいましょう / いえ えきで おみやげを かいましょう / あ えきでですか
③ かんこくの チョウさんですか / いえ かんこくの チョウさんじゃなくて ちゅうごくの ちょうさんです

7．いえ、5時45分です。

練習1 B-56

一番言いたいところにはヤマができます。大切ではないところにはヤマができません。強調するとき、ヤマの大きさや数が変わることがありますが、アクセントは同じです。

① a: 4時45分ですね。　　　　　b: いえ、5時45分です。
② a: 5時35分ですね。　　　　　b: いえ、5時45分です。
③ a: 7497ですね。　　　　　　　b: いえ、8497です。
④ a: 8479ですね。　　　　　　　b: いえ、8497です。

練習2 B-57

①〜③は、どんなヤマですか。

① a: かわのよしゆきさんですね。
　 b: いえ、かわのとしゆきさんです。　a: あ、としゆきさんですか。
② a: 空港でおみやげを買いましょう。
　 b: いえ、駅でおみやげを買いましょう。　　a: あ、駅でですか。
③ a: 韓国の趙さんですか。
　 b: いえ、韓国の趙さんじゃなくて、中国の趙さんです。

練習1 B-56

① a: よ￢じよ￢んじゅうご￢ふんです￢ね。
　 b: いえ、ご￢じよ￢んじゅうご￢ふんです￢。
② a: ご￢じさ￢んじゅうご￢ふんです￢ね。
　 b: いえ、ご￢じよ￢んじゅうご￢ふんです￢。
③ a: ななよ￢んきゅうな￢なです￢ね。　b: いえ、はちよ￢んきゅうな￢なです￢。
④ a: はちよ￢んななきゅ￢うです￢ね。　b: いえ、はちよ￢んきゅうな￢なです￢。

練習2 B-57

① a: か￢わのよし￢ゆきさんです￢ね。
　 b: いえ、か￢わのとし￢ゆきさんです￢。　a: あ、とし￢ゆきさんですか￢。
② a: く￢うこうでおみやげをかいましょ￢う。
　 b: いえ、え￢きでおみやげをかいましょ￢う。　a: あ、え￢きでですか￢。
③ a: が￢んこくのチョ￢ウさんですか￢。
　 b: いえ、が￢んこくのチョ￢ウさんじゃな￢くて、ちゅ￢うごくのちょ￢うさんです￢。

練習0　①2　②2　③2　④2　⑤2　⑥1　⑦2　⑧1　⑨3　⑩1

7-4 質問文(10)「何分(なんぷん)?」

練習0 ①〜⑩のアクセントは、下がります(○)か、下がりません(×)か。
B-58

(○) さとう? ↘ (×) カレー?

①(　)　②(　)　③(　)　④(　)　⑤(　)
⑥(　)　⑦(　)　⑧(　)　⑨(　)　⑩(　)

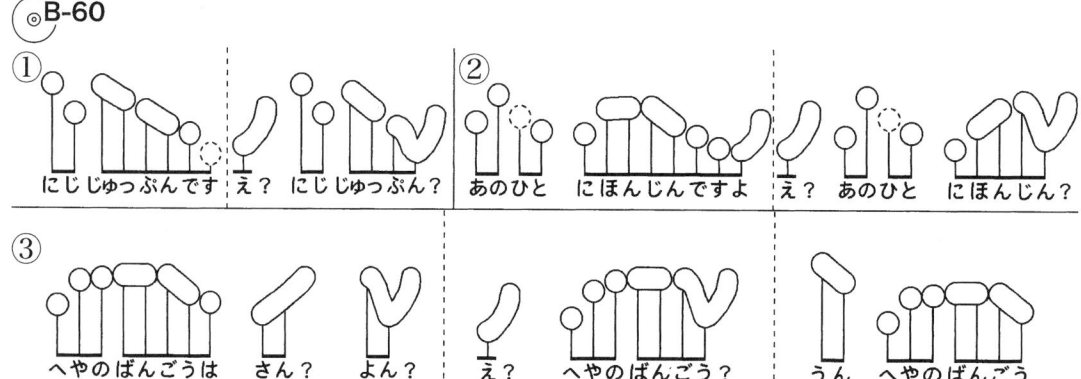

練習1 最後の音だけを上げると、質問になります。⑥や⑮〜⑱は、「ん」が長くなります。
B-59

① こうえんです。／ え？ こうえん？
② おばさんです。／ え？ おばさん？
③ ごぜんです。／ え？ ごぜん？
④ としょかんです。／ え？ としょかん？
⑤ カーテンです。／ え？ カーテン？
⑥ ほんです。／ え？ ほん？

⑦ かばんです。　⑧ かんたんです。　⑨ こうくうびんです。
⑩ レストランです。　⑪ あかちゃんです。　⑫ しんかんせんです。
⑬ ごじゅうえんです。　⑭ スプーンです。　⑮ パンです。
⑯ いちじはんです。　⑰ はんぶんです。　⑱ にほんです。

練習2 練習しましょう。
B-60

① にじゅっぷんです。／ え？ にじゅっぷん？
② あのひと にほんじんですよ。／ え？ あのひと にほんじん？
③ へやのばんごうは さん？ よん？ ／ え？ へやのばんごう？ ／ うん へやのばんごう

7. いえ、5時45分です。

練習1 B-59

最後の音だけを上げると、質問になります。⑥や⑮〜⑱は、「ん」が長くなります。

① a: 公園です。 b: え？ 公園？　② a: おばさんです。 b: え？ おばさん？
③ a: 午前です。 b: え？ 午前？　④ a: 図書館です。 b: え？ 図書館？
⑤ a: カーテンです。 b: え？ カーテン？　⑥ a: 本です。 b: え？ 本？
⑦ b: かばん？　⑧ b: 簡単？　⑨ b: 航空便？　⑩ b: レストラン？
⑪ b: 赤ちゃん？　⑫ b: 新幹線？　⑬ b: 50円？　⑭ b: スプーン？
⑮ b: パン？　⑯ b: 1時半？　⑰ b: 半分？　⑱ b: 日本？

練習2 B-60

練習しましょう。
① a: 2時10分です。　　　　　　b: え？ 2時10分？
② a: あの人、日本人ですよ。　　b: え？ あの人、日本人？
③ a: 部屋の番号は、3？ 4？　　b: え？ 部屋の番号？
　a: うん、部屋の番号。

練習1 B-59

① a: こうえんです。　　　b: え？ こうえん？
② a: おばさんです。　　　b: え？ おばさん？
③ a: ごぜんです。　　　　b: え？ ごぜん？
④ a: としょかんです。　　b: え？ としょかん？
⑤ a: カーテンです。　　　b: え？ カーテン？
⑥ a: ぽんです。　　　　　b: え？ ぽん？
⑦ b: かばん？　⑧ b: かんたん？　⑨ b: こうくうびん？
⑩ b: レストラン？　⑪ b: あかちゃん？　⑫ b: しんかんせん？
⑬ b: ごじゅうえん？　⑭ b: スプーン？　⑮ b: パン？
⑯ b: いちじはん？　⑰ b: はんぶん？　⑱ b: にほん？

練習2 B-60

① a: にじじゅっぷんです。　　　　b: え？ にじじゅっぷん？
② a: あのひと、にほんじんですよ。　b: え？ あのひと、にほんじん？
③ a: へやのばんごうは、さん？ よん？　b: え？ へやのばんごう？
　a: うん、へやのばんごう。

練習0　①○　②×　③×　④○　⑤○　⑥○　⑦○　⑧○　⑨○　⑩×

7-5 言いさし「ENKの電話番号は…。」

練習0 ①～⑩の文の最後は、上がります(○)か、上がりません(×)か。
B-61
①(　)　②(　)　③(　)　④(　)　⑤(　)
⑥(　)　⑦(　)　⑧(　)　⑨(　)　⑩(　)

練習1 質問の「電話番号は」には、最後を上げる「電話番号は？」と、上げないで平らに伸ばす「電話番号は…。」があります。「電話番号は…。」のほうがていねいです。「…。」と「？」両方で練習しましょう。
B-62
B-63

① おくには・・・　タイです
② きょうは・・・　いいですよ
③ なんじまで・・・　ごじまでです
④ わたしのとけいは・・・　あそこに ありますよ　つくえのうえですか　ええ　つくえのうえです

⑤ どこから。　⑥ 何時から。　⑦ 会議はいつ。　⑧ 全部でいくら。
⑨ コピーは何枚。　⑩ お名前は。　⑪ 佐藤さんは。　⑫ この本は。
⑬ 会議は来週の金曜。　　　　⑭ あれは高橋さんのかばん。
⑮ これはブラジルのコーヒー。

練習2 言いにくいことは、文を最後まで言わないで、弱く平らに伸ばすと、ていねいになります。
B-64

① すみません　それは・・・　あ　だめですか
② あした やすみたいんですが・・・　あしたですか・・・
③ あの・・・　できれば あとで・・・　そうですか　じゃ また あしたきます　すみません

7．いえ、5時45分です。

練習1
B-62
B-63

質問の「電話番号は」には、最後を上げる「電話番号は？」と、上げないで平らに伸ばす「電話番号は…。」があります。「電話番号は…。」のほうがていねいです。「…。」と「？」両方で練習しましょう。

① a: お国は。　　b: タイです。　　② a: 今日は。　　b: いいですよ。
③ a: 何時まで。　b: 5時までです。
④ a: 私の時計は。　　b: あそこにありますよ。
　　a: 机の上ですか。　b: ええ、机の上です。
⑤ どこから。　　⑥ 何時から。　　⑦ 会議はいつ。　　⑧ 全部でいくら。
⑨ コピーは何枚。　⑩ お名前は。　⑪ 佐藤さんは。　⑫ この本は。
⑬ 会議は来週の金曜。　　⑭ あれは高橋さんのかばん。
⑮ これはブラジルのコーヒー。

練習2
B-64

言いにくいことは、文を最後まで言わないで、弱く平らに伸ばすと、ていねいになります。

① a: すみません、それは…。　　　b: あ、だめですか。
② a: 明日、休みたいんですが…。　　b: 明日ですか…。
③ a: あの…、できれば、後で…。
　　b: そうですか。じゃ、また明日来ます。　a: すみません。

練習1
B-62
B-63

① a: おくには。　b: タイで﹀す。　② a: きょ﹀うは。　b: え﹀え、い﹀いですよ。
③ a: な﹀んじまで。　　b: ご﹀じま﹀でです。
④ a: わたしのとけいは。　　b: あそこにありま﹀すよ。
　　a: つくえのうえ﹀ですか。　b: え﹀え、つくえのうえ﹀です。
⑤ a: ど﹀こから。　　⑥ a: な﹀んじから。　　⑦ a: か﹀いぎはい﹀つ。
⑧ a: ぜんぶでい﹀くら。　⑨ a: コピーはな﹀んまい。　⑩ a: おなまえは。
⑪ a: さ﹀とうさんは。　⑫ a: このほ﹀んは。
⑬ a: か﹀いぎはらいしゅうのきんよ﹀う。　⑭ a: あれはたか﹀はしさんのかばん。
⑮ a: これはブラジルのコーヒ﹀ー。

練習2
B-64

① a: すみませ﹀ん、それは…。　　　b: あ、だめ﹀ですか。
② a: あした、やすみた﹀いんですが…。　b: あした﹀ですか…。
③ a: あの、でぎ﹀れば、あ﹀とで…。
　　b: そうで﹀すか。じゃ、またあしたきま﹀す。　a: すみません。

練習0　①×　②×　③○　④×　⑤×　⑥○　⑦×　⑧×　⑨○　⑩×

7-6 アクセント (5) 「フランス人」

練習0 ①〜⑩は、どの音で下がりますか。最初に下がる音のひらがな・
B-65 カタカナを書いてください。

①(　　) ②(　　　) ③(　　　) ④(　　　) ⑤(　　　)
⑥(　　) ⑦(　　　) ⑧(　　　) ⑨(　　　) ⑩(　　　)

練習1 「〜人」「〜駅」「〜県」「〜市」は、「〜￤じん」「〜￤えき」「〜￤けん」
B-66 「〜￤し」です(a)。長い音のすぐ後ろでは下がりません(b)。長い
音の中で下がります(c)。「日本人」は「にほんじ￤ん」です(d)。

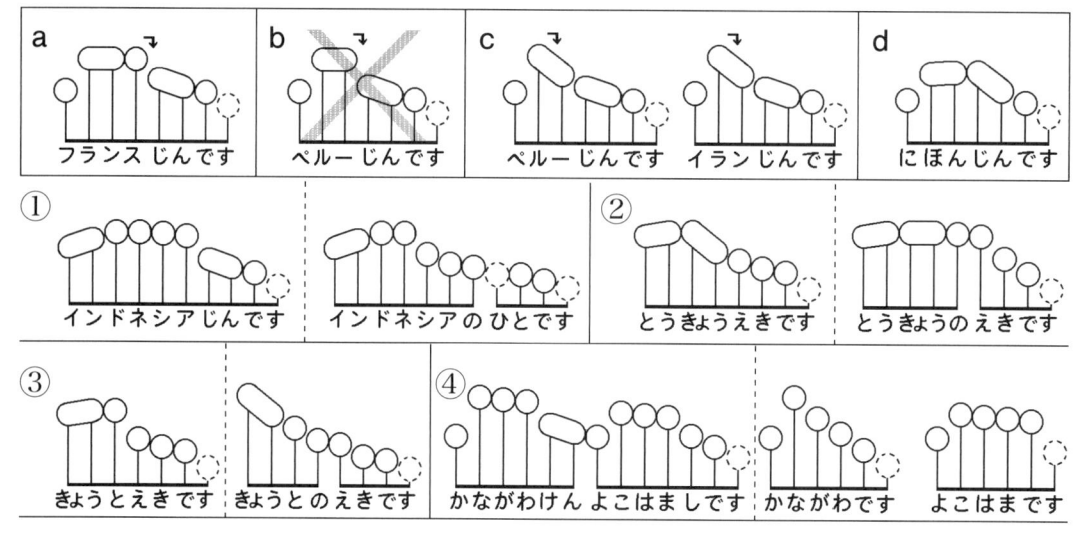

練習2 ①②は、どんなアクセントですか。
B-67 ① a: あの人は中国人ですか。日本人ですか。 b: 韓国人です。韓国の人です。
② a: 国際センターへどうやって行きましたか。
　　b: 国際センター駅から歩いて行きました。

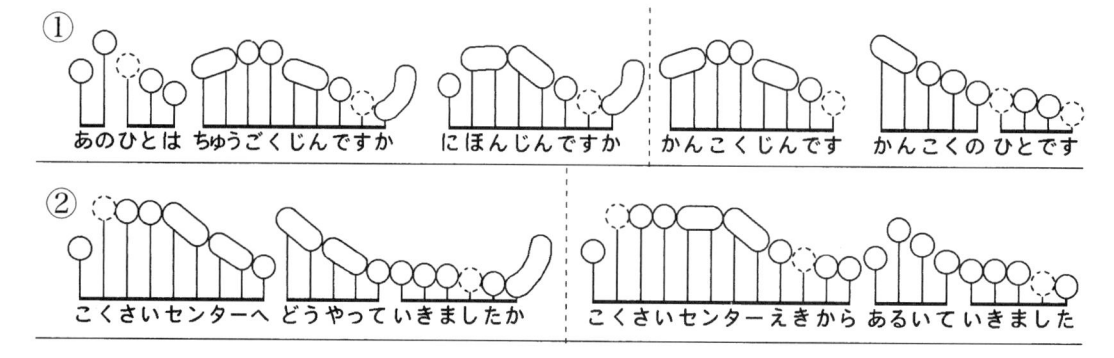

7．いえ、5時45分です。

練習1 B-66

「〜人」「〜駅」「〜県」「〜市」は、「〜」じん」「〜」えき」「〜」けん」「〜」し」です(a)。長い音のすぐ後ろでは下がりません(b)。長い音の中で下がります(c)。「日本人」は「にほんじん」です(d)。

(a)フランス人です。　(c)ペルー人です。イラン人です。　(d)日本人です。

① インドネシア人です。　　インドネシアの人です。
② 東京駅です。　　東京の駅です。
③ 京都駅です。　　京都の駅です。
④ 神奈川県横浜市です。　　神奈川です。横浜です。

練習2 B-67

①②は、どんなアクセントですか。

① a: あの人は中国人ですか。日本人ですか。
　 b: 韓国人です。韓国の人です。
② a: 国際センターへどうやって行きましたか。
　 b: 国際センター駅から歩いて行きました。

練習1 B-66

(a)フラ⌐ンス¬じんです。　(c)ペル⌐ー¬じんです。　イラ⌐ン¬じんです。
(d)にほ⌐ん¬じんです。

① とうきょ⌐う¬えきです。　　とうきょうのえ⌐き¬です。
② きょ⌐うと¬えきです。　　きょ⌐うとのえ¬きです。
③ インドネ⌐シア¬じんです。　　インドネ⌐シアのひと¬です。
④ かながわ⌐けんよこはま¬しです。　　か⌐ながわです。よこはま¬です。

練習2 B-67

① a: あの⌐ひとはちゅうごく¬じんですか。にほ⌐ん¬じんですか。
　 b: かんこく⌐じんです。かんこくのひと¬です。
② a: こくさいセンターへど⌐うやっていきま¬したか。
　 b: こくさいセンタ⌐ーえきからある¬いていきました。

練習0　①ネ　②か　③ア　④く　⑤く　⑥え　⑦きょ　⑧と　⑨きょ　⑩タ

7-7 ッ(2)「40分(よんじゅっぷん)です」

練習0
B-68
(A) ◯◯◯◯　　(B) ◯◯◯◯

「けんきゅうはっぴょうです。」の　　は(A)です。
「しゅうだんげこうです。」の　　は(B)です。
①〜⑧は、(A)ですか、(B)ですか。
①(　) ②(　) ③(　) ④(　)
⑤(　) ⑥(　) ⑦(　) ⑧(　)

練習1
B-69
(　)のことばは、a b c d e のどれですか。

A
①(　)ですか。(　)です。・　　・a ◯◯◯
②(　)ですか。(　)です。・　　・b ◯◯◯
③(　)ですか。(　)です。・　　・c ◯◯
④(　)ですか。(　)です。・　　・d ◯◯
　　　　　　　　　　　　　　　・e ◯◯

B
①(　)ですか。(　)です。・　　・a ◯◯◯◯
②(　)ですか。(　)です。・　　・b ◯◯◯
③(　)ですか。(　)です。・　　・c ◯◯◯
④(　)ですか。(　)です。・　　・d ◯◯◯◯
　　　　　　　　　　　　　　　・e ◯◯◯

練習2 練習(れんしゅう)しましょう。
B-70
①(◯◯◯　◯◯◯　◯◯　◯◯)
　きってと　きっぷを　かって　いった。
②(◯◯◯　◯◯◯　◯◯◯　◯◯)
　よっかに　ペットの　ベッドを　かった。
③(◯◯◯　◯◯◯　◯◯◯) ◯◯◯
　コップを　わっても　びっくり　しません。
④(◯◯◯◯　◯◯◯◯　◯◯◯◯)◯◯
　あさっての　チケットは　ごじゅうドル です。
⑤(◯◯◯　◯◯◯　◯◯◯◯　◯◯◯◯) ◯◯◯◯◯
　がっこうで　せんせいと　じっけんの　そうだんを　しています。
⑥(◯◯◯◯　◯◯◯　◯◯◯◯◯)
　とっきゅうで　とうきょうに　しゅっちょうします。

7．いいえ、5時45分です。

⬭○　　　　ペット　ベッド　マッチ
⬭⌐○　　　3つ　4つ　6つ　8つ
⬭○　　　　切手　切符　4日　コップ　3日
⬭○○
⬭○⌐○　　びっくり　がっかり　しっかり　ぴったり
○⬭○
○⬭⌐○　　スリッパ　チケット　ポケット
⬭○⌐○　　あさって　チケット　スリッパ　ポケット
⬭○○
⬭○○　　　学校　特急　出張　格好
⬭○○　　　実験　結婚　せっけん
⬭○⌐　　　先生
⬭○⌐　　　東京
⬭○⌐　　　相談
⬭○○　　　クッキー　けっこう　サッカー

練習0　①A　②B　③B　④A　⑤A　⑥B　⑦B　⑧A
（A）⬭○○○○
　　①ていおんじっけん　　④ゆうげんじっこう
　　⑤こうこうにってい　　⑧ゆうりょうぶっけん
（B）⬭○○⌐○
　　②せいぞうかてい　　　③きょうゆうじこう
　　⑥おうりょうけん　　　⑦じんこうこきゅう

練習1　A　①うち⌐ーe　　　②コップーd
　　　　　　③いつ⌐ーb　　　　④スリッパーa
　　　　　B　①ポケ⌐ットーe　　②ホ⌐ッチキスーd
　　　　　　③ぶたにくーa　　　④クラシ⌐ックーc

8 いっしょに行きませんか？

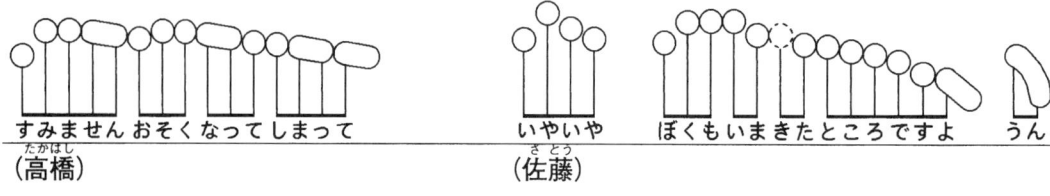

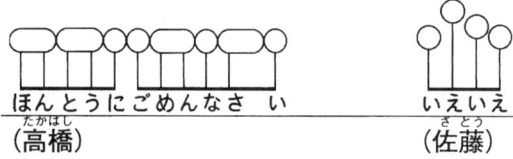

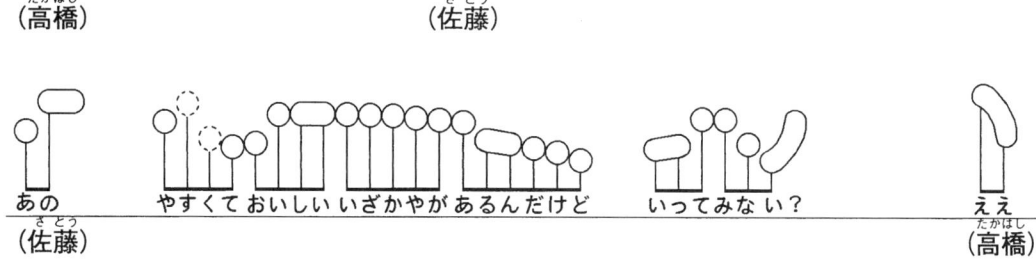

すみません おそくなってしまって
(高橋)

いやいや
(佐藤)

ぼくもいまきたところですよ

うん

ほんとうにごめんなさい
(高橋)

いえいえ
(佐藤)

あの
(佐藤)

やすくて おいしい いざかやが あるんだけど

いってみない？

ええ
(高橋)

会社が終わって、佐藤さんが駅前で高橋さんを待っています。高橋さんは、まだ来ません。

ここに注意！

・「安くておいしい居酒屋」などの名詞修飾のヤマ
・「なってしまう」「行ってみる」「書いてある」などのて形接続のヤマ
・「行きません？」「行きましょう。」などの上昇イントネーション

8. いっしょに行きません?

B-71

高橋：すみません。遅くなってしまって。
佐藤：いやいや、ぼくも今来たところですよ。うん。
高橋：ほんとうにごめんなさい。
佐藤：いえいえ。あの、安くておいしい居酒屋があるんだけど、行ってみない?
高橋：ええ。そのお店、ここから近い?
佐藤：うん。ここに書いてあるんだけどね。
高橋：うん。あ、郭さん、こんにちは。　郭：こんにちは。
高橋：ねえねえ、郭さんもいっしょに行きません? ね?
佐藤：え、ええ、もちろん。　高橋：じゃ、行きましょう。

8-1 聞こえない母音 「近い？」

練習0 B-72

いいですね　いいですよ　いいですか　いいです

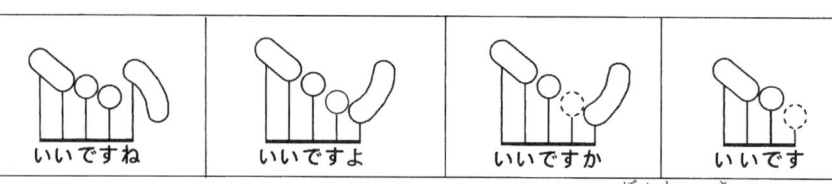

「いいですね。」「いいですよ。」の「す」は、母音が聞こえますが、「いいですか。」「いいです。」の「す」は、母音が聞こえません。母音がすべて聞こえます（○）か、聞こえない音があります（×）か。

①(　　) ②(　　) ③(　　) ④(　　) ⑤(　　)
⑥(　　) ⑦(　　) ⑧(　　) ⑨(　　) ⑩(　　)

練習1 B-73

○も◌も意味は同じですが、文の最後や、か・さ・た・は・ぱ行の前の「き・く・し・す・ち・つ・ひ・ふ・ぴ・ぷ」は、◌になることがあります。

① ぼくもいまきたところですよ。
② どうぞよろしく。
③ かくさんのネクタイ、すてきですね。
④ ここからちかい？
⑤ ごがつついたちからカナダへ。
⑥ かえりのひこうきは、なんじなんぷん？

練習2 B-74

① ひとりですか。ふたりですか。
② やすくておいしいいざかや
③ あめがふっています。
④ きっぷをかってきてください。
⑤ 「おいしいそうです」じゃなくて、「おいしそうです」といったんです。
⑥ 「きてください」じゃなくて、「きいてください」といったんです。

練習0　①○　②×　③×　④×　⑤○　⑥○　⑦○　⑧×　⑨○　⑩○

8. いっしょに行きません？

8-2　ヤマのまとめ(1)　基本

練習1
B-75

(A) 「東京へ」＋「行きます」→「東京へ行きます。」でヤマ 1つです。ヤマ 1つの文の前に「私は」「明日」「佐藤さんと」「飛行機で」などがあると、それぞれ、ヤマができます。

(B) 「佐藤さんと郭さん」「安くておいしい」「食べて飲んで歌った」「難しいですが面白いです」などは、それぞれのことばにヤマができます。しかし「見てください」「見ないでください」「行ってみる」「書いてある」は、ヤマ1つです。

(C) 「赤い」＋「ネクタイ」→「赤いネクタイ」、「郭さんの」＋「ネクタイ」→「郭さんのネクタイ」でヤマ1つです。しかし、「ENKの森さん」はヤマ2つです。①～⑥は、どんなヤマ、アクセントですか。

① 私は明日、佐藤さんと飛行機で東京へ行きます。
② 佐藤さんと郭さんは、ビールやワインを飲んで、歌いました。
③ シャワーを浴びて、ご飯を食べて、出かけます。
④ 安くておいしい居酒屋があるんだけど、行ってみない？
⑤ 九州の中村さんが、おいしいお茶を送ってくれました。
⑥ パーティーがありますから、ジュースを買っておいてください。

練習2
B-76

(A) 「どこ」「なに」にはヤマができます。「どこへ行きますか。」はヤマ1つ、「カナダのどこですか。」はヤマ2つです。

(B) 「京都へ行きますか。」は「行くか行かないか」が聞きたいので、ヤマ2つです。「バスで行きますか。」は「バス、車、自転車…＝何で行くか」が聞きたいので、ヤマ1つです。

①～⑦は、どんなヤマ、アクセントですか。

① デザート、食べますか。
② 車で行ったんですか。
③ 京都へだれと行ったんですか。
④ パーティーでだれかに会いましたか。
⑤ どこに新しいお店の場所が書いてあるの？
⑥ 先週のパーティーで会った人はだれですか。
⑦ 先週の日曜日、どこか行きましたか。

8-3　ヤマのまとめ(2)　強調（きょうちょう）

練習1
◎B-77

「ないです」「ありません」にはヤマができます。しかし、誘（さそ）いの「テニスをしませんか。」や、「～ですか。」と同（おな）じ意味（いみ）の「～じゃないですか。」「～じゃありませんか。」は、ヤマ1つです。意味を考（かんが）えて練習（れんしゅう）しましょう。

① a: タンさんじゃありませんか。
　 b: いえ、タンさんじゃありませんよ。
② 佐藤（さとう）さん、いっしょにテニスをしませんか。
③ 田中（たなか）さんは、いっしょにテニスをしないんですか。
④ 高橋（たかはし）さんは帰（かえ）りますよ。テニスをしないんじゃないですか。

練習2
◎B-78

いちばん言（い）いたいところには、ヤマができます。強調（きょうちょう）すると、ヤマの大（おお）きさや数（かず）が変（か）わります。話（はなし）の中（なか）で何（なに）をいちばん言いたいか、意味（いみ）を考（かんが）えて練習（れんしゅう）しましょう。

① a: 黒（くろ）いズボンですね。
　 b: いいえ、黒いシャツです。
② a: あの喫茶店（きっさてん）を左（ひだり）に曲（ま）がると、駅（えき）があります。
　 b: あの交差点（こうさてん）を左に曲がるんですね。
　 a: いえ、喫茶店を左です。
③ a: それはいくらですか。
　 b: 3000円（さんぜんえん）です。
　 a: そうですか。じゃ、あれはいくらですか。
　 b: 10000円（いちまんえん）です。
④ a: 駅前（えきまえ）にデパートはありますか。
　 b: いいえ、ありません。
　 a: じゃ、スーパーはありますか。
　 b: ええ、スーパーはあります。
⑤ a: ひらがなを読（よ）むことができますか。
　 b: はい。漢字（かんじ）を読むこともできます。
⑥ a: 漢字（かんじ）を読むことができますか。
　 b: はい。漢字を書（か）くこともできます。
⑦ スピードが遅（おそ）いですよ。もっと早（はや）く走（はし）ってください。
⑧ まだここにいたんですか。早（はや）く行（い）ってください。

8．いっしょに行きません？

8-4　イントネーションのまとめ「か」「ね」「よ」

練習1
B-79

文の最後の音を上げると、質問になります。「〜よ。」「どうぞ。」も上がりますが、これは、明るい言い方です。明るい言い方の「行きません？」「行きましょう。」は、「せん」「しょう」が高くなります。

① そうですか。　　② もういっぱい、飲みます？　③ どれ？ これ？
④ あれ、佐藤さんは？　⑤ 「恋人たちの午後」もう見た？　⑥ 行く？
⑦ 金曜日はどう？　⑧ 金曜？　　　　　　　　　⑨ 何時何分？
⑩ 8479？　　　　⑪ 行ってみない？　　　　　　⑫ ここから近い？
⑬ 郭明遠さんですね？　　⑭ ああ、8497ですね？　⑮ ね？
⑯ あそこに高橋さんがいますよ。　⑰ よく見ますよ。　⑱ どうぞ。
⑲ 郭さんもいっしょに行きません？　　　　　⑳ じゃ、行きましょう。
㉑ ええっ、本当におかあさんのプレゼントですか。

練習2
B-80

最後の音の上げかた、下げかたを変えると、言いたいことが変わります。

(a) 言いさしです。弱くて平らです。
① すみません、かく…。　② ENKの電話番号は…。　③ 土曜日はちょっと…。

(b) ひとりごとです。高くて平らです。
④ へえ、いいな。　　⑤ いいですね、テニス。

(c) 賛成します。「ね」が上がって下がります。
⑥ ええ、いいですね。　⑦ 郭さんのネクタイ、すてきですね。

(d) 強く断定します。最後の音が急に下がります。
⑧ 本当ですよ。恋人じゃありませんよ。　⑨ 今来たところですよ。　⑩ もちろん。

(e) 残念な言い方です。全体が低くてゆっくりになります。
⑪ あ、10日…。そうですか…。

(f) 呼びかけです。「さん」が上がって下がります。
⑫ 郭さん、郭さん。　⑬ 高橋さん、それ何ですか。

(g) 強調です。最後の音だけ強くて高いです。
⑭ じゃ、山田さん、よろしく！　⑮ 高橋さん、こんばんは。

8-5 アクセントのまとめ(1) 動詞

練習1 動詞のアクセントには(A)(B)2つのパターンがあります。ます形
B-81 は(A)(B)同じです。いろいろな動詞で練習しましょう。

(A)			ます形	(B)		
辞書形	て形・た形	ない形		辞書形	て形・た形	ない形
～●˥●	●˥●て ●˥●ても ●˥●た	●˥ない。 ●˥ないひと ●˥ないで ●˥なくても ●˥なければ	●ま˥す ●ま˥した ●ませ˥ん ●ませ˥んでした ●ましょ˥う	～●●	●て ●て˥も ●た	●な˥い。 ●な˥いひと ●な˥いで ●な˥くても ●な˥ければ

(A)

いらっしゃる

集まる　おっしゃる　驚く　がんばる
手伝う　引っ越す　喜ぶ　覚える　答える
閉める　起きる　食べる　見せる　歩く
泳ぐ　かぶる　頼む　作る　習う　走る
話す　休む　思う　壊す　残る　払う　戻る
来る　見る　ある　会う　合う　書く　切る
住む　出す　立つ　取る　脱ぐ　飲む　待つ
持つ　読む

(B)

めしあがる

生まれる　教える　出かける　並べる
忘れる　始まる　働く
開ける　入れる　借りる　消える　遊ぶ
洗う　歌う　座る　使う　止まる　並ぶ
登る　曲がる　磨く　渡る　なくす
する　いる　着る　寝る　言う　行く　売る
置く　押す　買う　貸す　聞く　消す　死ぬ
吸う　飛ぶ　乗る　引く　呼ぶ

(A)「申す」「通る」「入る」「参る」「返す」「帰る」「考える」は、「も˥うす」「と˥おる」「は˥いる」「ま˥いる」「か˥えす」「か˥える」「かんが˥える」です。

(B)「～な˥い。」「～な˥いひと」を「～ない。」「～ない人」と言う人もいます。

(B)「～する」は「べんきょうする」「く˥ろうする」「びっく˥りする」など、いろいろです。

練習2 次の文をつかって、いろいろな動詞で練習しましょう。
B-82
① マットさんは［くる］けど、サキさんは［こない］と思います。
② オットーさんは［きた］けど、ヤンさんは［こなかった］よ。
③ ［かいて］ください。あ、いえ、まだ［かかないで］ください。
④ これを［たべて］、これを［のまなければ］なりません。

8. いっしょに行きません？

8-6　アクセントのまとめ(2)　形容詞

練習1　形容詞のアクセントには(A)(B)2つのパターンがあります。
B-83　(A)は辞書形と同じところで下がります。(B)はいろいろです。
いろいろな形容詞で練習しましょう。

(A)	●˥い	●˥いひと	●˥くな˩る ●˥く	●˥くな˩い ●˥くな˩かった	●˥いです	●˥かった	●˥くて
(B)	●い	●いひと	●くな˩る ●く	●くな˩い ●くな˩かった	●い	●かった	●くて

(A) 青い　暑い　熱い　痛い　うまい　多い　辛い　黒い　怖い　寒い　白い　すごい
　　狭い　高い　近い　強い　苦い　早い　速い　低い　ひどい　深い　太い　古い
　　細い　まずい　安い　弱い　若い　悪い

　　うるさい　うれしい　大きい　かわいい　汚い　厳しい　細かい　寂しい　少ない
　　涼しい　正しい　楽しい　小さい　短い

　　暖かい　温かい　新しい　忙しい　美しい　おもしろい　すばらしい
　　恥ずかしい　めずらしい　柔らかい

　　良い

(B) 赤い　厚い　甘い　薄い　遅い　重い　軽い　暗い　眠い　丸い
　　明るい　危ない　おいしい　悲しい　黄色い　冷たい　易しい　優しい
　　難しい

(A)「あおく」「あおかった」などを「あ˥おく」「あ˥おかった」と言う人もいます。
(A)「つまらない」は、「つまら˥ない」「つまら˥なかった」「つまら˥なくて」です。

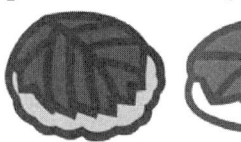

練習2　次の文をつかって、いろいろな形容詞で練習しましょう。
B-84
① これは［あまくない］けど、これは［あまい］ね。
② これは［あまかった］けど、これは［あまくなかった］です。
③ ［あまくないです］ね。もっと［あまくなり］ませんか。
④ これは［あまくて］［おいしいです］ね。

8-7 アクセントのまとめ(3) 名詞

練習1 B-85　下のことばの「〜」がどんな数字やことばでも、すべて同じアクセントです。

(A)	(B)	(C)
「〜」の後の最初の音で下がります。ただし「〜百円」は「〜ひゃくえん」です。	「〜」の最後の音で下がります。長い音のときは長い音の中で下がります。	下がりません。平らです。
「〜時間」「〜じ｢かん」 「〜週間」「〜しゅ｢うかん」 「〜か月」「〜か｢げつ」 「〜十円」「〜じゅ｢うえん」 「〜曜日」「〜よ｢うび」 「〜大学」「〜だ｢いがく」 「〜料理」「〜りょ｢うり」 「〜売り場」「〜う｢りば」	「〜時」「〜｢じ」 「〜分」「〜｢ふん」 「〜人」「〜｢じん」 「〜駅」「〜｢えき」 「〜県」「〜｢けん」 「〜市」「〜｢し」	「〜日(か)」 「〜万円」 「〜千円」 「〜語」

① 広島駅です。　② 600円です。　③ ホーチミン市です。　④ ポルトガル語です。
⑤ 宇宙人です。　⑥ 広島大学です。　⑦ 8000円です。　⑧ 10日は木曜日です。
⑨ 料理学校です。⑩ テレビ局です。　⑪ 郵便局です。　⑫ 飛行機です。

練習2 B-86　下のことばのアクセントには、ルールが2つあります。間違えないで覚えてください。

「月」	「杯」「台」「枚」「本」	「冊」「匹」
「3月」「5月」「9月」は「〜｢がつ」	5以外は「〜｢はい」「〜｢だい」「〜｢まい」「〜｢ほん」	2、3、4、5、7、9は、「〜｢さつ」「〜｢ひき」
3、5、9以外は「〜がつ｢です」	「5枚」「5本」「5台」は、下がりません。	1、6、8、10は、「〜｢さつです」「〜｢ぴきです」

① 12月と3月です。　② 5月10日です。　③ 9月から11月までです。
④ 1杯80円です。　⑤ 3冊で1000円です。　⑥ 1週間で10万円です。
⑦ 上野駅まで2枚ください。　⑧ 35歳です。　⑨ 10歳以下は300円です。

構成(こうせい)

	ヤマ	イントネーション	アクセント	長い音(ながいおと) 短い音(みじかいおと)
0 ソース？ しょうゆ？	0-1	0-2	0-4 0-5	0-3
1 どうぞ よろしく。	1-1 あいさつ 1-3 外国人姓名(がいこくじんせいめい) 1-4 非限定修飾(ひげんていしゅうしょく) 1-6 日本人姓名(にほんじんせいめい)	1-6 言(い)いさし	1-2 外国人名(がいこくじんめい), 国名(こくめい) 1-3 複合語人名(ふくごうごじんめい) 1-5 日本人名(にほんじんめい)	1-6 1-7
2 カナダの どこですか。	2-1 文頭疑問詞(ぶんとうぎもんし) 2-2 文中疑問詞(ぶんちゅうぎもんし) 2-4 月日(つきひ) 2-6 数字(すうじ)の桁(けた)	2-1「か」質問(しつもん) 2-2「か」質問(しつもん)	2-3 数字(すうじ), 接辞(せつじ)「週間(しゅうかん)」 2-4 月日(つきひ) 2-5 値段(ねだん) 2-6 値段(ねだん)	2-7
3 友達(ともだち)に会(あ)い ますから。	3-1「は」 3-3 動詞文(どうしぶん),「は」 3-4 質問(しつもん)の焦点(しょうてん) 3-5 勧誘(かんゆう)「ませんか」	3-1「か」上昇(じょうしょう),「か」平坦(へいたん) 3-2「か」質問(しつもん) 3-4「か」質問(しつもん) 3-5「ね」, 言(い)いさし	3-2 動詞(どうし)ます形(けい) 3-6 時間(じかん), 分(ふん)	3-5 3-7
4 恋人(こいびと)じゃ ありません。	4-1 限定修飾(げんていしゅうしょく) 4-2 否定(ひてい) 4-3 限定修飾(げんていしゅうしょく), 否定(ひてい)	4-1「か」質問(しつもん) 4-2「か」質問(しつもん) 4-4「ます」質問(しつもん), 疑(うたが)い	4-1 形容詞修飾(けいようししゅうしょく) 4-2 形容詞否定(けいようしひてい) 4-3 形容詞体系(けいようしたいけい) 4-5 接辞(せつじ)「冊(さつ)」,「枚(まい)」 4-6 ミニマルペア	4-7
5 たこやき？	5-1 長(なが)い文(ぶん) 5-2 並列(へいれつ) 5-3 質問(しつもん)の焦点(しょうてん) 5-6	5-2「か」質問(しつもん),「ね」 5-3「か」質問(しつもん) 5-5 名詞(めい)アクセントと イントネーション 5-6「か」質問(しつもん)	5-2 形容詞(けいようし)て形(けい) 5-3「なにも」 5-4 名詞体系(めいしたいけい), 尾高型(おだかがた) 5-6 複合名詞(ふくごうめいし)	5-7
6 ああ、 10日(とおか)…。	6-1 長(なが)い文(ぶん) 6-2 長(なが)い文(ぶん) 6-3 長(なが)い文(ぶん)	6-4 動詞普通体質問(どうしふつうたいしつもん), 「ううん」 6-5「ー」名詞質問(めいししつもん) 6-6「か」下降(かこう), 質問以外(しつもんいがい)の上昇(じょうしょう)	6-1 動詞(どうし)て形(けい) 6-2 動詞(どうし)ない形(けい) 6-3 動詞辞書形(どうしじしょけい)	6-7
7 いえ、5時(ごじ) 45分(よんじゅうごふん)です。	7-1 時間(じかん) 7-2 列挙(れっきょ), 番号(ばんごう) 7-3 強調(きょうちょう)	7-3「か」平坦(へいたん) 7-4「ン」名詞質問(めいししつもん) 7-5 言(い)いさし	7-1 時間(じかん), 分(ふん) 7-2 数字(すうじ) 7-6 接辞(せつじ)「人(じん)」,「県(けん)」	7-3 7-4 7-7
8 いっしょに 行(い)きません？	8-2 まとめ 8-3 まとめ	8-4 まとめ	8-5 まとめ 8-6 まとめ 8-7 まとめ	8-1

本書は、笹川平和財団研究助成「日本語学習者のための音声教育教材開発」および文部科学省科学研究費補助金「日本語学習者に対する韻律指導教材の開発（課題番号13680364）」による助成を受けました。ここに財団ならびに関係者各位に厚くお礼申し上げます。

著者	河野　俊之	横浜国立大学教育学部准教授
	串田真知子	元桃山学院大学非常勤講師
	築地　伸美	愛媛大学国際連携推進機構国際教育支援センター非常勤講師
	松崎　寛	筑波大学人文社会系准教授

イラスト　　　　新井恵美子　加沢朝子　鈴木陽子　武部路子　松崎寛　吉田晃子
イラスト著作権（一部）　がくげい　デザインエクスチェンジ株式会社
メイン会話イラスト　はまだあきこ
表紙イラスト　松崎寛
CD録音　　　迫田久美子　築地伸美　松崎寛
　　　　　　浅野香織　小山梓　大地琴恵　村井厚之　米山信之

1日10分の発音練習　◆◇◆　著者　河野　俊之　串田真知子
　　　　　　　　　　　　　　　　築地　伸美　松崎　寛

発行　2004年　1月10日（第1刷発行）
　　　2022年12月28日（第6刷発行）
版元　くろしお出版
　　　〒102-0084
　　　東京都千代田区二番町4-3 二番町カシュービル8F
　　　TEL 03-6261-2867
　　　FAX 03-6261-2879
　　　e-mail : kurosio@9640.jp
　　　http://www.9640.jp
装丁　Fukunny Art Studio
組み　mariposa
刷り　モリモト印刷

© Toshiyuki Kawano, Machiko Kushida,
Nobumi Tsukiji, Hiroshi Matsuzaki 2004, Printed in Japan

●乱丁・落丁はおとりかえいたします。無断複製を禁じます●
ISBN978-4-87424-286-5 C3081